POLÍTICA SOCIAL
E COMBATE À POBREZA

Sérgio Henrique Abranches
Wanderley Guilherme dos Santos
Marcos Antônio Coimbra

POLÍTICA SOCIAL E COMBATE À POBREZA

terceira edição

Jorge Zahar Editor
Rio de Janeiro

1994
Direitos para esta edição contratados com
Jorge Zahar Editor Ltda.
rua México 31 sobreloja
20031-144 Rio de Janeiro, RJ
Tel.: (021) 240-0226 / Fax: (021) 262-5123

Edições anteriores: 1987, 1989
Impressão: Tavares e Tristão Ltda.

ISBN: 85-7110-116-7 (2ª ed.)
ISBN: 85-85061-87-1 (1ª ed.)

SUMÁRIO

INTRODUÇÃO

Fala-se muito hoje no Brasil em prioridade para o social. Este é o compromisso explícito do governo. Esta é a reivindicação da sociedade, como elemento inextricável da constituição da plenitude da cidadania e consolidação da democracia em bases justas.

O anseio por justiça social, após décadas de desenvolvimento autoritário, excludente e concentrador, é a marca política concreta do projeto de um novo Brasil, democrático, desenvolvido e civilizado. Este compromisso com a realização social de uma cidadania ativa e uma sociedade humanizada expressa-se de várias formas: erradicação da miséria, redistribuição dos frutos do progresso, desconcentração da renda e democracia social.

Formou-se consenso sobre a obrigação coletiva com os despossuídos, a necessidade de orientar a ação estatal para o bem-estar social. Mas os múltiplos objetivos associados à idéia de progresso social implicam escolhas políticas graves e complexas, às vezes trágicas, que requerem a eleição nítida de prioridades e o abandono de práticas e instrumentos de ação que com elas conflitem. Estas escolhas baseiam-se em critérios de justiça, que impõem um novo perfil de distribuição de valores na sociedade.

Além disso, sua realização depende de capacidade técnica, diagnósticos concretos, planejamento e seleção apropriada de alternativas.

A política e a tecnologia da política social têm natureza complexa. Estão no cerne dos grandes conflitos. Não estão dissociadas das indagações mais amplas sobre as necessidades e os desejos do ser humano, sobre que sociedade pode realizá-los da melhor forma. Como não podem dispensar o trabalho mais específico de pesquisa e concepção de instrumentos eficazes de ação.

Estes são os temas do ensaio de Wanderley Guilherme dos Santos, que analisa a trama contraditória de escolhas trágicas, as dificuldades de fixar critérios eqüitativos de justiça, para apresentar as possibilidades de compatibilização entre os procedimentos de escolha, sempre algo arbitrários e valorativos, e as soluções técnicas para problemas sociais concretos.

Ao fazê-lo, chama atenção para a interação, muitas vezes contrária, entre diferentes objetivos das várias políticas governamentais e entre políticas destinadas a solucionar problemas entre si distintos, porém relacionados como, por exemplo, a política social e a política econômica.

A matriz intrincada de políticas e problemas põe em relevo a natureza necessariamente complementar entre as políticas voltadas para o social e a política econômica, muitas vezes seguindo rumos contrários. Contudo, não há como falar em prioridade social, se esta não constitui o elemento básico de orientação da política econômica.

Além disso, objetivos aparentemente comuns, como erradicar a pobreza e redistribuir a renda, podem entrar em contradição, especialmente se não há uma orientação comum, indicando as escolhas estratégicas de política social e de política econômica.

São estes, precisamente, os temas estudados por Sérgio Henrique Abranches. A partir da análise do que há de comum e contrário, nos objetivos de erradicação da pobreza e justiça distributiva, estuda as interações críticas entre política social e política econômica, buscando pontos de equilíbrio e coordenação que permitam pôr em prática um projeto consistente de desenvolvimento social.

As indagações suscitadas por esses ensaios revelam a necessidade de se compreender melhor a natureza e a lógica das políticas sociais. Afinal, são várias as determinações e distintas as motivações que levam o Estado a intervir no campo social. Muitos vêem na política social o meio de realização dos direitos de cidadania. Para outros, porém, a política social responde apenas a desequilíbrios de mercado, corrigindo-os, para permitir a reprodução do sistema social, sem contudo alterá-lo significativamente. Como e por que surgem as políticas sociais do Estado? Que critérios orientam a sua formulação? A que interesses elas servem?

As respostas para estas questões estão presentes nos ensaios de Marcos Antônio Coimbra, que analisa criticamente os diferentes paradigmas para estudo das políticas sociais e sugere novas linhas de análise que permitam melhor compreendê-las.

Rio de Janeiro, julho de 1987
SÉRGIO HENRIQUE ABRANCHES

Agradecimentos

Os ensaios aqui reunidos não poderiam ter sido escritos sem o estímulo de Ernesto Aldo Isuani, quando de sua passagem pela UNICEF no Brasil, e sem a compreensão e o estímulo de Ruben Cervine, que tomou o seu lugar, mantendo o compromisso com o estudo sério das questões conceituais, de cuja elucidação dependem a qualidade e a eficácia das políticas sociais. A ambos fica registrado o agradecimento dos autores.

POLÍTICA SOCIAL E COMBATE À POBREZA

A Teoria da Prática

Sérgio Henrique Abranches

POLÍTICA SOCIAL, POBREZA E DESIGUALDADE: A PRÁTICA DA TEORIA

Se a política fosse apenas contrato, a política social seria cláusula inarredável do capítulo das obrigações coletivas, a cargo do Estado. Política, porém, é conflito. Oposição e contradição de interesses. Conflito negociado, regulado por instituições políticas de natureza vária, condicionado por mediações que tornam possível reduzir os antagonismos e projetá-los em um movimento positivo. Política é, também, poder, transformando-se, freqüentemente, em um jogo desequilibrado, que exponencia os meios dos mais poderosos e reduz as chances dos mais fracos. Quem detém instrumentos eficazes de pressão tem maior probabilidade de obter mais da ação do Estado do que aqueles dependentes dessa própria ação para conseguir o mínimo indispensável à sua sobrevivência.

A política social é parte, precisamente, do processo estatal de alocação e distribuição de valores. Está, portanto, no centro do confronto entre interesses de grupos e classes, cujo objeto é a reapropriação de recursos, extraídos dos diversos segmentos sociais, em proporção distinta, através da tributação. Ponto crítico para o qual convergem as forças vitais da sociedade de mercado, desenhando o complexo dilema político-econômico entre os objetivos de acumulação e expansão, de um lado, e as necessidades básicas de existência dos cidadãos, bem como de busca de eqüidade, de outro.

A política social reflete, assim, a direção política das relações econômicas. A combinação específica, imposta pela correlação efetiva de forças, de incentivos à acumulação e ao crescimento, recursos para a provisão de meios de subsistência aos mais carentes e ações redistributivas visando a alcançar um certo patamar de eqüidade.

Trata-se, então, de uma série de opções políticas. Os impactos que sofre de conjunturas cíclicas na economia e do estágio de desenvolvimento são mais visíveis e criam a impressão de que seus formuladores são prisioneiros de determinações inarredáveis; de que só existe uma forma de resolver esse dilema e, portanto, que a atenção às demandas sociais básicas deve ser postergada, sob pena de colapso econômico e desordem inflacionária. Sofisma e ilusão. O padrão de desenvolvimento comporta diferentes soluções: não é mais que a síntese econômico-política geral do balanço final entre meios de acumulação e utilidade social.

Nas situações em que não houver abundância plena de recursos e não se tenha atingido um patamar significativo de justiça distributiva, a realização de objetivos de acumulação envolve sacrifícios no consumo individual, no consumo coletivo e pode, dependendo da correlação de poder vigente, impor pesadas privações àqueles destituídos de recursos próprios de defesa.

A política social intervém no hiato derivado dos desequilíbrios na distribuição em favor da acumulação e em detrimento da satisfação de necessidades sociais básicas, assim como na promoção da igualdade. A ação social do Estado diz respeito tanto à promoção da justiça social, quanto ao combate à miséria, embora sejam objetivos distintos. No primeiro caso, a busca da eqüidade se faz, comumente, sob a forma da garantia e promoção dos direitos sociais da cidadania. No segundo, a intervenção do Estado se localiza, sobretudo, no campo definido por escolhas políticas quanto ao modo e ao grau de correção de desequilíbrios sociais, através de mudanças setoriais e reformas estruturais baseadas em critérios de necessidade.

História e circunstância encontram-se na determinação da extensão das carências sociais e da urgência com que devem ser enfrentadas. O padrão de acumulação impõe restrições à política social, desenhando caprichosamente o perfil da escassez e o limite das possibilidades de mudança. Mas é a ordem política que define as opções disponíveis de ação e as direções plausíveis de intervenção estatal.

Por que insistir nesse ponto? Porque a ação governamental reflete escolhas em um quadro de conflito. Não há, em situações desse tipo, governos rigorosamente imparciais. Há governos mais ou menos justos. Mais ou menos sensíveis às necessidades dos despossuídos. Mais ou menos resistentes às pressões de interesses poderosos contrários às mudanças.

Sempre há opção, pois são vários os pontos possíveis de equilíbrio entre acumulação e privação social. Raramente existe apenas uma solução sócio-política para cada problema, assim como são várias as formas possíveis de implementação de uma determinada solução.

As respostas emergem, assim, de um processo de escolhas sucessivas, que envolve confrontos, atritos, coalizões, pressões e contrapressões. São muitas as forças envolvidas: os segmentos sociais, os estamentos tecnoburocráticos do Estado, o Congresso, a presidência, os partidos, os sindicatos, os movimentos sociais, os especialistas e, não raro, suas corporações. É esse processo que define, em cada momento, como será a política social, que prioridades elegerá, qual será sua relação com a política econômica, qual a amplitude de seu alcance.

Quando se trata de manter o mesmo padrão de gastos para programas já existentes, a política de alocação segue trilha mais previsível, seja do ponto de vista institucional, seja do perfil e do grau dos conflitos envolvidos. É o curso da política "normal" ou "corrente". Esse tipo de política enquadra-se entre aquelas de natureza tipicamente distributiva: implica a concessão, pelo Estado, de algum benefício a algum grupo. Os custos dessa concessão, porém, já foram absorvidos anteriormente ou são tão pouco aparentes que nenhum grupo percebe lhe estar sendo imposto algum custo direto e específico em razão dessa distribuição de benefícios. Os principais conflitos, nesse caso, ou bem já tiveram solução apropriada no processo orçamentário, ou bem anteriormente, na fase de formulação, proposição e implantação das políticas e dos programas correspondentes. (Cf. T. Lowi, 1964, C. Offe, 1975 e Goldfinger, 1975.) Permanecem a insatisfação porventura não contornada naquele momento e os conflitos residuais, inarredáveis e inevitáveis. Sempre haverá quem defenda outros usos para qualquer recurso público. Sempre haverá resistência ideológica a qualquer tipo de intervenção estatal. Sempre haverá controvérsia em torno de políticas públicas.

É na mudança, na inovação, que surgem os maiores e piores conflitos. Sobretudo se a nova política tiver caráter redistributivo, isto é, envolver a transferência de benefícios ou recursos de um grupo para outro, de um programa para outro, de uma área para outra. Evidentemente, pode haver mudança sem conflito, na medida em que venha a suprir necessidades consensuais ou que não tenha impacto redistributivo, nem custos significativos, explícitos e localizados.

Na área social, entretanto, são raros os exemplos de políticas com essas características. O mais comum é que gerem controvérsia, suscitem oposição ideológica ou substantiva e tenham algum impacto redistributivo. Conformam, portanto, um determinado perfil de políticas no qual as inovações geralmente emergem lentamente; requerem muita pesquisa de demonstração, seja para comprovar a existência de necessidades a serem supridas, seja para justificar alternativas, com base em fatos e dados. As opções possíveis dependem, para serem implementadas, de muita persuasão tanto junto ao grupo decisório e seus superiores quanto externa a ele, na busca de parceiros e aliados. Qualquer alternativa admitirá objeção política, ideológica ou técnica e pode levar a audiências, debates, discussões e toda série de manobras protelatórias.[1] É por essa razão que as inovações tendem a emergir de processos decisórios alentados e tortuosos, que incluem muita "conspiração interburocrática" e dependem, freqüentemente, de "empreendedores": técnicos, intelectuais e funcionários, dispostos a investir tempo e recursos na pavimentação da longa e acidentada trilha que vai da formulação inicial das soluções para determinado problema ou dos modos de satisfazer certas necessidades, até a adoção dessas idéias como políticas e a implantação dos programas que lhes darão conseqüência prática.

É preciso, de um lado, "produzir" as propostas, o que envolve grande esforço de pesquisa, a mobilização de competências, dentro e fora da admi-

[1] Veja, para uma interessante análise de inovações políticas e para melhor esclarecimento de algumas das dimensões aqui discutidas, Polsby, 1984. Ver, também, Walker, 1970.

nistração, a elaboração de diagnósticos, o levantamento de antecedentes, experiências comparáveis que deram certo e assim por diante. De outro lado, torna-se necessário buscar apoio político, "vender" a inovação, ganhar adeptos, demonstrar suas virtudes e virtualidades e neutralizar os "contra-empresários" da inovação, aqueles que trabalham, também sistematicamente, contra ela. Os custos desse investimento são altos, principalmente nas fases iniciais, quando a probabilidade de sucesso é baixa, a incerteza é alta e a base de apoio estreita. Eis por que a taxa de inovação nessas áreas é baixa e o grau de desistência ou insucesso é alto.

Escolhas políticas, mesmo quando solidamente apoiadas em avaliações técnicas, sempre envolvem julgamento de valor. O balanço entre necessidades e preferências é esquivo. Ainda que se eleja um conjunto claro de carências a serem sanadas, se estabeleçam parâmetros de ajuste entre as imposições da acumulação e os reclamos da sociedade, há ampla margem de divergência sobre quanto dessas privações é obrigação do Estado prover e em que condições.

Essa é outra maneira de dizer que existem diferenças marcantes na avaliação, pelos vários atores sociais, do que é justo ou razoável. Existem os que consideram acumular um pecado capital, como há, também, aqueles que pensam ser a pobreza outro nome para a vagabundagem. Entre esses dois extremos cabe de tudo, de socialistas a keynesianos, até liberais-reformistas.

Evidentemente, essa variação de conceitos e juízos de valor não é infinita. A política social envolve, necessariamente, intervenções independentes do mercado.[2] Não pode, por isso mesmo, ser submetida a preferências definidas pelo mecanismo de preços, nem avaliada, em sua eficácia, por critérios de mercado. Se o for, privatiza-se, deslocando-se o foco de seus objetivos e comprometendo-se o qualificativo que a torna específica: o ser voltada para o social. Disso estão conscientes os que se opõem à intervenção do Estado. A política social, como ação pública, corresponde a um sistema de transferência unilateral de recursos e valores, sob variadas modalidades, não obedecendo, portanto, à lógica do mercado, que pressupõe trocas recíprocas. A unilateralidade baseia-se no fato de o processo social determinar inúmeras situações de dependência, que devem ser corrigidas, legitimamente, através da ação estatal.

Muitas dessas situações implicam a incapacidade de "ganhar a vida por conta própria" e independente da vontade individual – ao contrário do

2 Veja o tratamento diferente conferido a essa questão por Heclo, 1974 e Piven e Cloward, 1972.

que previa a teoria liberal da justiça.[3] Decorrem de fatores externos ao indivíduo e associados à dinâmica coletiva de reprodução da vida social. Outras circunstâncias estão ligadas ao ciclo vital do ser humano e são, portanto, incontroláveis individual ou coletivamente. Outras, enfim, são determinadas por acidentes, nos quais não se pode determinar responsabilidades exigíveis. Todas essas instâncias justificam a intervenção unilateral do Estado, como garantia concreta da observância de direitos sociais dos cidadãos, em relação aos quais existe clara contrapartida de deveres sociais.

O perfil das situações de dependência deriva, em parte, da matriz observada de carências. O grau de cobertura que será conferida aos que dependem da coletividade será determinado pela ordem política vigente. É o compromisso político, impresso na ação do Estado, que dirá se a política social será apenas reflexo e legitimação do *status quo* ou efetivo instrumento de mudança social. Existe, entretanto, um conjunto irredutível de garantias irrecusáveis, seja no que diz respeito ao combate às formas mais extremas de pobreza, seja no que se refere à manutenção de condições mínimas de vida. São conquistas inalienáveis do processo civilizatório e a ele estão inextricavelmente associadas.

A política social praticada na maioria dos países industrializados busca, principalmente, compensar o mal-estar, os custos sociais, os efeitos perversos, derivados de ações indispensáveis à acumulação, de outras políticas governamentais e do próprio progresso que, ao induzir mudanças, pode colocar certos grupos em situação de dependência.[4]

Atualmente, qualquer um desses países conta, no mínimo, com programas que garantem universalmente compensações à perda de renda derivada de oito circunstâncias diferentes: velhice, invalidez, viuvez, doença, maternidade, acidentes de trabalho, desemprego e crescimento familiar. As compensações são um direito geral, embora destinem-se a assegurar condições mínimas de subsistência àqueles que, ao sofrerem tais contingências, na maioria inevitáveis, perdem capacidade de gerar renda suficiente para o seu sustento em um patamar mínimo de bem-estar.

É aí que se dá a interseção entre a política social, como garantia universal de padrões mínimos de vida, e a política de redução da pobreza, que objetiva retirar da condição de miséria aqueles que sequer conseguiram alcançar esse piso básico, destituídos que são dos meios mais elementares de sobrevivência.

3 Sobre a questão da justiça social no pensamento liberal, ver, entre outros, Miller, 1974 e 1978.

4 Veja o detalhamento das relações entre "problemas" e políticas no ensaio de Wanderley Guilherme dos Santos publicado neste volume.

A política social como obrigação permanente do Estado tem duas faces distintas. A primeira, voltada para aquelas vicissitudes que determinam a redução da capacidade das pessoas de obter renda suficiente, de forma quase sempre definitiva e insanável: a velhice e a invalidez, por exemplo. A outra contempla circunstâncias transitórias, coletivas ou individuais. Coletivas seriam aquelas decorrentes de problemas associados aos ciclos econômicos, como o desemprego temporário. Individuais, aquelas oriundas de incapacidade pessoal temporária, causada por doença ou acidente, entre outras.

A política de combate à pobreza estruturalmente enraizada tem natureza distinta. Tem por objetivo eliminar a destituição, num espaço de tempo definido, incorporando os despossuídos aos circuitos regulares da vida social e compensando, no entretempo, as principais carências que põem em risco a sobrevivência e a sanidade dessas pessoas. As políticas "contra a pobreza" são específicas, têm duração limitada – ainda que prolongada – combinam ações sociais compensatórias, aspectos das políticas sociais permanentes e elementos da política macroeconômica e setorial, sobretudo nos campos fiscal, industrial, agrícola e do emprego. São parte da intervenção social do Estado, em muitos casos se superpõem às políticas sociais, mas têm uma identidade, uma coerência e uma estratégia próprias.

Nem medidas macroeconômicas em seus desdobramentos reais, nem políticas sociais de corte convencional conseguem atingir os núcleos mais resistentes de miséria. As pessoas em estado de absoluta carência estão aprisionadas em uma cadeia de privações, oriundas da própria operação da ordem social e econômica, que reduz suas chances reais de acesso a recursos que tornem possível saírem de sua miserável condição. A política social convencional opera para além dessa fronteira. Nos seus limites atuam as políticas específicas de erradicação da pobreza. Embora conceitualmente equívoca, seria possível a distinção entre a "pobreza estrutural" que constituiria o objetivo dessas últimas e a "pobreza cíclica" cuja correção seria o objetivo da primeira. Outra maneira de distingui-las, em função de seus propósitos, ainda com alguma liberalidade teórica, associaria a política social compensatória às manifestações ocasionais de privação e os programas de combate à miséria ao estoque acumulado de carências agudas.

É importante notar, ainda, que a política social deve ter como meta a universalização. É a instrumentalização de direitos assegurados pelo Estado a qualquer cidadão que venha a sofrer os efeitos negativos daquelas contingências por ela contempladas. As políticas de eliminação da pobreza absoluta são seletivas. Discriminam positivamente, definindo como seus beneficiários apenas aquelas pessoas que se encontrem na condição de miséria, geralmente definida em relação a uma faixa de renda mínima ou à manifestação conjunta, persistente e aguda de uma série de carências básicas.[5]

Finalmente, deve-se mencionar que embora tanto a política social, quanto os programas de erradicação da pobreza possam ter efeitos redistributivos, não se confundem com políticas de redistribuição ou desconcentração da renda. Estas conformam outro e diverso conjunto de ações públicas, com outro instrumental de intervenção, objetivos e metas também diferentes.

I. POBREZA E DESTITUIÇÃO

A miséria é filha do subdesenvolvimento, mas não é qualquer modo de desenvolvimento que a faz desaparecer. Na verdade, um estilo de crescimento que mantenha as pautas de exclusão social, econômica e política pode tornar-se seu padastro. Pobreza é destituição, marginalidade e desproteção. Destituição dos meios de sobrevivência física; marginalização no usufruto dos benefícios do progresso e no acesso às oportunidades de emprego e consumo; desproteção por falta de amparo público adequado e inoperância dos direitos básicos de cidadania, que incluem garantias à vida e ao bem-estar.

Ser pobre significa, em termos muito simples, consumir todas as energias disponíveis exclusivamente na luta contra a morte; não poder cuidar senão da mínima persistência física, material. Não é exagero: existem inúmeras relações empíricas indisputáveis, que indicam tal situação.

As pessoas muito pobres, que consomem a maior parte de suas energias apenas para sobreviver por um triz, não podem atuar como cidadãos íntegros. A necessidade tolhe a liberdade. Por isso são, também, politicamente mais fracas e mais dependentes. Sua existência, nessa condição, debilita toda a nação. Porque nas comunidades em que parcela de seus membros permanece sem direitos e sem liberdade, o direito e a liberdade de todos estão sob permanente ameaça. É por isso que a erradicação da pobreza deve constituir objeto de um acordo nacional plural. Interessa a todos a afirmação inequívoca pelo menos dos direitos mínimos que, não por acaso, são interdependentes: os direitos à liberdade e à vida.

O mito da "cultura da pobreza", segundo o qual os pobres não melhoram suas condições de vida porque não querem, desfaz-se, sempre, na dura frieza das evidências, empíricas e históricas.

[5] Para a questão da discriminação positiva, ver Titmuss, 1968 e 1970, Pinker, 1968, 1971 e 1979, Reissman, 1977.

Não melhoram porque as oportunidades para fazê-lo são menos acessíveis a eles, pobres, e porque não lhes sobra tempo e espaço para acumular, ainda que gratuitamente, os recursos necessários para alcançar melhores condições de vida. Para sobreviver, consomem mais horas trabalhando ou em busca de qualquer trabalho, horas que são subtraídas à educação, à busca de melhores opções de trabalho e renda, aos cuidados com a saúde, ao exercício da criatividade, à ação política e ao lazer. Forçados a tal sobrecarga, e de tantos modos desgastante, para a qual mobilizam toda a família – os adultos íntegros, os inválidos, os velhos e as crianças – são impotentes diante das imposições da necessidade, que lhes retiram toda liberdade: não deixam escolha.

A mobilização das crianças, por exemplo, tem significação especial, pois representa um saque irremissível contra o futuro, determinando não apenas a interrupção de seu processo escolar e formativo, como também sua submissão a trabalhos de baixa qualidade, na maioria lesivos ao seu desenvolvimento físico, cultural e psicológico.

As famílias pobres dependem exclusivamente da assistência governamental e da benemerência privada. No caso, por exemplo, dos serviços médicos, diante da escassez de recursos e tempo e das dificuldades de acesso a que estão submetidas, acabam podendo a eles recorrer apenas em situações de doença manifesta. As famílias mais ricas, ao contrário, podem destinar parte de suas rendas à obtenção, no mercado, de serviços de saúde de melhor qualidade, especialmente de natureza preventiva e, sobretudo, no acompanhamento do desenvolvimento físico e mental de suas crianças. A saúde acaba expressando a lógica global do despojamento: não há possibilidade de prevenção, a não ser nos casos de saúde pública – e quando são eficientes – e é difícil o acesso aos bens e serviços essenciais à manutenção da vida.

Há um núcleo irredutível de privação absoluta que caracteriza a pobreza e se traduz, concretamente, por esse conjunto de aflições, no qual se destacam a inanição, a desnutrição, a morbidez e a conseqüente elevação da mortalidade. A dimensão física, biológica mesmo, da pobreza é inescapável, ainda que a ela estejam associadas outras dimensões, sociais, políticas e culturais, também relevantes (Sen, 1981).

Pobreza diz respeito à destituição de meios de subsistência satisfatória e tem como parâmetro estruturador, intrínseco à sua lógica de formação, a privação absoluta. Esta define-se pela carência extremada de quaisquer meios para satisfação das necessidades primárias ligadas à sobrevivência física e à sanidade da pessoa e dos familiares a ela dependentes. Mesmo nas formulações mais liberais, há o reconhecimento de que as necessidades ditas "básicas" não podem se resumir apenas àquelas ligadas à pura sobrevivência física. Devem incluir, necessariamente, a persistência física em condições tais que as necessidades biológicas sejam satisfeitas em grau adequado à prevenção de seqüelas derivadas da má alimentação, garanta-se a salubridade do meio ambiente, abrigo adequado, ações de saúde preventiva e assistência médica. Mas devem contemplar também, além disso, a satisfação de outras necessidades, cultural ou socialmente determinadas, que definem um mínimo de bem-estar e a garantia de meios que permitam alterar as chances de vida futura, a começar pela educação elementar.

A determinação do *mínimo necessário à subsistência,* subjacente à noção de necessidades básicas, ao cálculo de um salário mínimo ou à demarcação de linhas de pobreza, tem longa tradição na economia política. De fato, desde Adam Smith se estabeleceu a convicção de que qualquer medida para esse "mínimo" deve ir além das necessidades puramente biológicas, incluindo uma parcela – variável no tempo e no espaço – de "necessidades sociais", em cuja composição interferem não só elementos materiais, mas também outros, de ordem cultural ou ligados ao costume.

A definição de Smith pode ser considerada como o marco teórico a partir do qual evoluiu o tratamento da questão das necessidades sociais dos trabalhadores na economia política liberal. Segundo ele, necessários são não apenas os produtos indispensáveis à manutenção da vida, mas todos aqueles cuja carência represente uma situação indecente ou indigna, de acordo com o costume do país, para pessoas dignas ainda que da mais baixa extração social.[6]

Marx, em sua crítica à economia política, mantém versão semelhante das necessidades sociais dos trabalhadores. Tais necessidades intelectuais e sociais, além das puramente fisiológicas, seriam condicionadas pelo nível geral de civilização.[7] Mesmo o costume mantém-se como parâmetro, seja na definição dos bens "necessários" de consumo, em contraposição aos "supérfluos",[8] seja na fixação do padrão médio de vida do trabalhador.[9]

O acesso aos meios para satisfação dessas necessidades, nas sociedades de mercado, é conferido em primeiro lugar pela renda. Esta, para a grande maioria da população, advém do trabalho assalariado, portanto do salário e depende, no mínimo, da existência de oportunidades de emprego com remuneração suficiente. Em alguns casos, mesmo para pessoas com rendimentos muito baixos, parte da renda é obtida pela *posse* de certos recursos que permitem suprir necessidades diretamente ou através da troca,

6 Smith 1976, vol. 2, pp. 869-870. Ver, também, sobre a questão do salário mínimo, Mill, 1965, vol. 2, pp. 340-343; 346-348 e 356-366.

7 Marx, 1977, p. 341.

8 Marx, 1978, p. 479.

9 Marx, 1981, pp. 288-290

mercantil ou não. É o caso, por exemplo, de pequenos proprietários, capazes de produzir para o autoconsumo ou para intercâmbio, ainda que em proporções diminutas. Finalmente, são também meios satisfatórios, a obtenção de renda complementar ou bens e serviços através da ação do Estado.

O grau de destituição depende, precisamente, da insuficiência relativa do *conjunto total de meios sob controle* da pessoa que lhe permitem obter os bens e serviços necessários à vida e ao bem-estar, incluindo suas *posses*, sua *renda* e seus *direitos* em relação à assistência pública. Os componentes desse conjunto de meios mantêm entre si relações de dependência de natureza variada, que não podem ser aqui analisadas em toda sua complexidade, mas cuja apreensão é indispensável ao adequado entendimento da questão da pobreza (Sen, op. cit.).

Na economia de mercado, o elemento mais elementar de propriedade (posse), é a força de trabalho que, dependendo das condições vigentes de oferta de emprego na economia e dos níveis dos salários de base, pode ser um meio de obtenção de rendimentos suficientes para atender às necessidades básicas da pessoa e de seus dependentes. Quanto maior a defasagem entre o salário e a renda necessária para satisfazer tais necessidades, maior será a dependência dessa pessoa em relação aos outros meios. O que significa, de fato, dizer que ela dependerá mais da efetiva realização de seus direitos face ao Estado (previdência, assistência, complementações de renda etc.), dado que suas outras posses serão, com toda probabilidade, também insuficientes para gerar rendimento adicional, monetário ou não, bastante para cobrir aquele hiato.

A destituição está, assim, intimamente associada à estrutura de propriedade vigente, aos padrões de produção e consumo e aos mecanismos de distribuição de bens e serviços fora dos circuitos normais do mercado, através das políticas de cobertura social.

Por exemplo, se existe algum tipo de seguro-desemprego, o cidadão desempregado, ao se ver privado de salário e, portanto, de meios para obtenção dos bens e serviços necessários à sua subsistência e bem-estar, passa a receber um "salário-desemprego", até sua reabsorção pelo mercado de trabalho. Do mesmo modo, podem-se desenvolver programas de suplementação de renda para aqueles que tenham rendimentos inferiores ao mínimo considerado necessário à subsistência. Há, ainda, mecanismos diretos de provimento de necessidades, que não passam pela transferência direta de renda monetária. É o caso da distribuição gratuita de alimentos, por exemplo.

Esses mecanismos caracterizam-se pelo fato de que seus beneficiários complementam sua renda fora dos circuitos de mercado e através da ação pública, correspondendo a uma parcial e temporária *desmercantilização* de bens ou serviços e, mesmo, do salário. Isto é, os bens e serviços são distribuídos de forma não mercantil, perdem as características de mercadoria e não estão submetidos às regras de mercado. O próprio salário-desemprego não constitui um salário de mercado, pois não obedece às suas regras, nem é fixado de acordo com os parâmetros de fixação de salários observados na economia.[10]

A destituição surge como resultado da operação de mecanismos estruturais na economia que promovem a privação cíclica ou continuada dos meios de trabalho e vida de parte da população. Em outras palavras, embora o capitalismo, enquanto modo de progresso, produza riqueza crescente, o faz em uma dinâmica marcada por desequilíbrios e descompassos que determinam surtos recorrentes de destituição. Além disso, grandes heterogeneidades e assincronias no processo de desenvolvimento tendem a cristalizar focos persistentes de miséria. Se os surtos cíclicos de pobreza podem ser amenizados ou mesmo erradicados pela correção dos desequilíbrios que os originam, os seus focos estruturais só podem ser eliminados através de ação estatal, especificamente orientada para este fim e persistente no tempo.

São necessários, portanto, instrumentos distintos de ataque à pobreza. De um lado, programas compensatórios e corretivos, que têm como alvo as manifestações cíclicas, ocasionais e/ou previsíveis de privação. De outro lado, programas de erradicação da pobreza persistente, estruturalmente enraizada em uma formação social muito desigual, e que devem ter como alvo principal a renda e o emprego.

Não se erradica a pobreza sem redistribuir custos sociais. Essas políticas requerem esforço fiscal adicional, realocação de recursos públicos e redirecionamento de incentivos e vantagens a segmentos do setor privado. Suscitam, portanto, um dilema contratual, uma revisão do contrato social vigente. Passam pela macropolítica, antes de se tornarem "políticas públicas".

Mas os objetivos de combate à pobreza e redistribuição da renda e da riqueza podem não ser inteiramente conflitantes entre si, especialmente se as ações governamentais forem distribuídas no tempo e dependendo da definição da população alvo dos programas de combate à miséria. Na verdade, o nível de renda e o tamanho da população pobre, cuja renda se pretende elevar como parte da estratégia de erradicação da pobreza, dependem de sua posição relativa ao resto da população. Relação que decorre, inclusive, do próprio traçado da "linha de pobreza" (Stewart e Streeten, 1976). A compatibilização entre os dois objetivos requer, contudo, a adequada combinação política de instrumentos e medidas de ação pública.

10 Para uma análise crítica dos procedimentos para sua determinação ver Piven e Cloward, *op. cit.*

Erradicação da pobreza e redistribuição de renda são faces distintas, ainda que interdependentes, da política social. De fato, o primeiro objetivo pode e deve constituir o estágio inicial de um programa de médio e longo prazo de redistribuição de renda e riqueza. Na base do processo de eliminação – ou redução significativa – da destituição, estão os esforços para diminuição da defasagem entre a renda necessária para satisfação das necessidades básicas da pessoa e seus dependentes e a renda real disponível.

II. POBREZA E DESIGUALDADE

A associação comum entre pobreza e desigualdade não é totalmente vazia de sentido. A própria caracterização da pobreza recorre sistematicamente à comparação entre "pobres" e "não pobres", tanto em termos de seus rendimentos, ou de sua participação na renda nacional, quanto em termos de outros atributos e situações. A chamada "linha de pobreza" é traçada com base em parâmetros de satisfação de necessidades básicas, vigentes em um determinado momento, em cada sociedade, para os cidadãos que têm meios suficientes de subsistência, expressos em um mínimo de renda (Stewart e Streeten, 1976, e Atkinson, 1975).

Mas a desigualdade é fenômeno distinto da destituição. Não são fenômenos independentes, pois interagem, histórica e estruturalmente: um reforça o outro, em medida variável, no tempo e no espaço. Mas obedecem a lógicas distintas, econômica e politicamente.

Pode-se reduzir a desigualdade, transferindo-se renda dos setores mais ricos para os grupos de renda média e até mesmo para aqueles que tangenciam a linha de pobreza, sem com isso afetar-se, necessariamente, a medida da pobreza.

Do mesmo modo, um declínio de renda ou emprego que mantenha o mesmo perfil distributivo pode elevar sobremaneira a destituição, agravar os problemas de fome, desnutrição, doença e mortalidade, embora no mesmo patamar de desigualdades. É preciso, contudo, levar em consideração que esta elevação resultaria muito mais da deterioração da situação econômica em geral, que da manutenção do padrão distributivo. Na fase ascendente do ciclo, mantido o mesmo padrão, poderia haver redução significativa da pobreza, pelo menos entre aqueles incorporados ao mercado formal. Na verdade, os efeitos do crescimento tendem a ser mais universais, pois há uma clara interação entre os mercados formal e informal, e os ganhos de renda a se propagar por toda a economia, ainda que muito desigualmente.

Há, entretanto, uma clara tendência no mercado de trabalho, no sentido de aumentar os diferenciais de salário que separam os estratos inferior e superior da distribuição. Assim, não apenas os ganhos de renda são distribuídos de forma cada vez mais desigual, como, na ausência de instrumentos corretivos, o crescimento pode favorecer um movimento secular de deterioração crescente da distribuição de renda.[11]

Do ponto de vista econômico, a erradicação da pobreza e o aumento da igualdade na distribuição de renda implicam ações diferentes e podem, mesmo, em certas circunstâncias, induzir a demandas conflitantes ou produzir efeitos contraditórios entre si (Haveman, 1975 e Lynn Jr., 1975).

Podem-se desenvolver mecanismos que reduzam o nível absoluto de destituição, sem alterar o perfil distributivo da sociedade. Do mesmo modo, é possível redistribuir renda, sem afetar substancialmente as condições de vida dos mais pobres. Basta que a redistribuição se dê, por exemplo, dos mais ricos para os "quase-pobres". Não é infreqüente que políticas de combate à pobreza tenham, elas mesmas, efeitos redistributivos negativos, na medida em que tratam do mesmo modo necessidades distintas. Ineficiências na administração e implementação dessas políticas podem, também, dar origem a novas desigualdades (Lynn Jr., 1975 e Gibson e outros, 1985).

Pobreza e desigualdade são fenômenos ética e socialmente similares, mas econômica e politicamente diversos. Eticamente, a destituição, absoluta ou relativa, reflete dimensões correlatas do mesmo problema, de justiça social e integridade da cidadania. Socialmente, constitui a face histórica de um mesmo movimento: a privação absoluta deságua na privação relativa e recompõe, em um novo patamar, o dilema das distâncias sociais extremadas; da frustração de expectativas individuais e grupais de ascensão social ou da insatisfação de grupos sociais, acentuada pela percepção de barreiras intransponíveis à mobilidade social e pela consciência crescente da existência de privilégios e discriminações de todo tipo.

Politicamente, as escolhas e as ações voltadas para um e outro objetivos dependem da correlação predominante de interesses e poder. Pode-se constituir uma coalizão favorável ao combate à pobreza absoluta, mas que bloqueie cursos de ação que alterem significativamente o perfil distributivo. As soluções técnicas são muitas e, em vários casos, esse aparente dilema pode ser diluído ou desfeito. Mas o que importa é que as opções são políti-

[11] Robert Haveman, analisando os programas de combate à pobreza, nos Estados Unidos, na década de 1965-75, conclui que, exatamente por causa da elevação das desigualdades de renda, no balanço final, esta década de programas de complementação de rendas teve como efeito quase que exclusivamente compensar esta tendência, ou seja, evitar que o perfil distributivo se alterasse para pior. Como diz Haveman, por causa dessa tendência à ampliação do hiato de rendas entre os dois extremos da distribuição, um orçamento social crescente parece apenas evitar deterioração adicional da já altamente desigual distribuição da renda final. Cf. Haveman, 1975.

cas, envolvem o poder fazer e a capacidade de imprimir às mudanças o curso coletivamente mais satisfatório.

Decisões políticas são a resultante líquida da *vontade de fazer,* condicionada pelo *saber fazer* (*know how*).

Provavelmente, a grande maioria da população, que vive em situação de pobreza, "votaria" por sua erradicação. Do mesmo modo, é possível que grande parte dos setores mais ricos também admitisse que esse objetivo fosse incluído entre as prioridades da agenda governamental. A miséria absoluta, a desnutrição, a deseducação, a doença e as más condições de habitação e saneamento não interessam, em princípio, a qualquer grupo. Ao contrário, os setores líderes da economia, a grande empresa, vivem da afluência e não da pobreza. A elevação da renda de pessoas fora de seus mercados pode significar a entrada de novos consumidores nesses circuitos, expansão de demanda que justifica o aumento da oferta.

Todos desejam, também, melhorar sua posição relativa na sociedade, isto é, em comparação com a situação que têm no presente e àquela vivida por grupos em posições superiores na escala social. Neste caso, entretanto, trata-se de medidas de grande impacto redistributivo, que promovam, a um tempo, maiores mobilidade e igualdade. Mas ganhos relativos são, por definição, seletivos, não podem ser compartilhados por todos. Estão no centro dos grandes conflitos políticos e suscitam, quase automaticamente, vetos dos segmentos que se sentem ameaçados por medidas redistributivas. Há sempre um fator de soma zero nas políticas realmente redistributivas, ainda que apenas na percepção dos atores. É possível obter-se mais tolerância com a desigualdade, mesmo da parte daqueles em situação pior, do que apoio para a redistribuição, sobretudo da parte daqueles em melhor situação. A explicação para essa tolerância pode estar no "efeito túnel" de que fala Hirschman (1981), através do qual aqueles que percebem progresso na situação dos que lhes são próximos tendem a tolerar melhor a situação de desigualdade. O pior, porém, é o efeito inverso, através do qual aqueles que percebem o avanço dos setores na base da pirâmide social sintam-se ameaçados e se mobilizem para bloquear progressos adicionais no plano distributivo.

Na verdade, a relação entre desigualdade de renda e pobreza tem características especiais. Se houver uma elevação marcada da renda, pode diminuir o nível relativo de pobreza, mesmo que não se altere o perfil de distribuição de renda. Mas, sem alterações significativas no perfil distributivo, não apenas de renda, mas de patrimônio, alcança-se um ponto de inflexibilidade que torna impossível superar certos níveis de pobreza nos setores inferiores de rendimento.

III. PADRÕES DE PRODUÇÃO E CONSUMO: A "CESTA SOCIAL"

O grau de destituição ou privação está relacionado, como se viu, ao conjunto de meios de que a pessoa dispõe, para obter bens e serviços indispensáveis à sua existência e de seus dependentes com um mínimo de bem-estar. Evidentemente, pressupõe-se que esses meios assegurem a real obtenção de tais bens e serviços. Por isto mesmo, é preciso levar em consideração as condições de acesso a eles. Acesso refere-se não apenas aos níveis de renda em si mesmos, mas ao poder de compra relativo, no contexto de um determinado padrão de consumo; à existência de mecanismos alternativos àqueles do mercado para obtenção desses bens e serviços e à elevação direta e/ou indireta da renda. Diz respeito, ainda, à disponibilidade real dos bens e serviços para esses segmentos sociais, a qual depende não só de sua produção (oferta) e de seus preços, mas também de como são distribuídos espacial e socialmente. Em outras palavras, o acesso a bens e serviços depende, em larga medida, dos padrões de produção, distribuição e consumo vigentes na economia. Para fins de exposição, chamar-se-á de *padrão de consumo* a articulação, no tempo e no espaço, destes três elementos e de "cesta social" ao conjunto de bens e serviços considerados socialmente necessários à subsistência digna da pessoa, nas linhas da clássica orientação mencionada anteriormente.

Assim, o padrão de consumo define-se, do lado da oferta, pela disponibilidade corrente dos bens e serviços, em particular daqueles de consumo mais generalizado e, sobretudo, da "cesta social". Envolve, portanto, três dimensões correlatas associadas à disponibilidade: produção suficiente; perfil adequado da oferta, isto é, a composição da oferta em termos dos tipos de bens e serviços ofertados; a relação entre os preços e o nível de renda da população, especialmente entre o preço da "cesta social" e a renda dos segmentos na base da pirâmide distributiva.

Do lado da demanda, o padrão de consumo caracteriza-se pela capacidade de obtenção dos meios de aquisição desses bens e serviços, em particular da "cesta social", ou seja, da renda (ou seu equivalente – por exemplo, o direito real à provisão direta) e pelo acesso aos mercados dos bens e serviços (ou pela existência de mecanismos alternativos eficazes de acesso).

É preciso, ainda, levar-se em conta o perfil de distribuição vigente, tanto em termos regionais/territoriais, quanto em termos sociais. O abastecimento é componente essencial, crítico mesmo, na determinação das pautas reais de consumo, sobretudo na medida em que fixa as bases reais de disponibilidade de bens no mercado e de acesso dos diferentes grupos sociais e das diferentes regiões a esses bens, às vezes independentemente do poder de compra potencial.[12]

É a combinação dessas três faces de um mesmo processo que caracteriza o padrão de consumo de uma sociedade e demarca as fronteiras da privação absoluta e relativa, da pobreza e da desigualdade.

Alterações significativas na composição da oferta de bens e serviços, nos seus preços relativos e na sua disponibilidade nos diferentes mercados podem elevar o grau de destituição das camadas mais pobres, ainda que estas tenham obtido ganhos reais de renda. Se estes ficaram aquém das mudanças observadas no padrão de consumo e se não houve melhoria de acesso e disponibilidade, as carências podem persistir ou mesmo elevar-se.

Na dinâmica do desenvolvimento, quando a renda cresce e as desigualdades aumentam ou permanecem em níveis muito altos, pode agravar-se a privação material dos mais pobres. Não se trata, aqui, de privação relativa, isto é, em comparação aos ganhos de segmentos mais favorecidos, mas de dificuldades reais dos pobres em obterem a "cesta social" ou, até mesmo, como é o caso dos despossuídos, a "cesta básica", essencial à sobrevivência pura e simples. Isso está associado, de um lado, à evolução do poder de compra dos salários de base e, de outro, àquelas mudanças no padrão de consumo já referidas. À medida que a sociedade se desenvolve o tipo de bens e serviços altera-se em função de fatores tecnológicos e mercadológicos e das políticas de preço das empresas em mercados oligopolisticamente regulados.

No caso do Brasil, a penetração da grande empresa, em especial a estrangeira, nos circuitos produtivos de bens de consumo duráveis e não-duráveis, seguramente produziu mudanças desse teor. Note-se que não há valoração quanto a essas mudanças, apenas indica-se que elas existem, alterando quantitativa e qualitativamente o perfil de oferta de bens. Esse processo atinge setores importantes de produção de bens essenciais para o conjunto da população, tais como alimentos industrializados, vestuário, produtos farmacêuticos e de higiene. Os novos produtos têm como referência a renda média dos setores de maior poder de consumo e não a renda média da população, como ocorre nos países industriais avançados, com perfis

12 Não são infreqüentes, em muitas partes do Terceiro Mundo, graves crises de abastecimento, em determinadas regiões ou localidades, em momentos de crescimento da produção, ganhos de renda e estabilização ou declínio de preços. A mortandade por inanição nas províncias de Wollo em 1972-1973 e de Harerghe, em 1973-1974, na Etiópia, se deveram, segundo persuasiva e cuidadosa análise de Amartya Sen, precisamente a uma situação de destituição, na qual eram transparentes os problemas, físicos e sociais, de acesso de uma parte da população aos produtos mais essenciais da "cesta social". Cf. Sen (1981), cap. 7.

distributivos mais favoráveis. Isso significa que esses passam a ser mercados cativos dos segmentos mais ricos. Por isso são mais rentáveis e atraentes. O resultado é a redução do acesso ao mercado das camadas de mais baixa renda, onerando mais fortemente seus orçamentos domésticos e aumentando seu grau de destituição, isto é, tornando ainda mais desfavorável a relação entre os recursos de que dispõem para transformar em meio de troca no mercado e o valor de troca das mercadorias de que necessitam.

Esse problema torna-se mais agudo nas áreas mais urbanizadas e industrializadas, por um lado, e nas áreas rurais de baixíssima produtividade, muito isoladas e pobres, por outro. Naquelas primeiras, os circuitos alternativos de produção, mais artesanais e/ou populares, tornam-se diminutos e muito localizados, não sendo capazes de generalizar o acesso ou constituir um circuito mercantil especializado, capaz de atender às camadas de baixa renda. Nas outras, embora a produção se faça pela via alternativa, é tão incipiente e tão pouco diversificada, que não chega a ser suficiente para atender à população. Aí, o problema de acesso é ainda mais grave, pois estão fora dos circuitos dominantes de distribuição. Constituem áreas de alto risco, para as quais falhas graves na distribuição de bens e serviços essenciais podem ter conseqüências trágicas de amplas proporções.[13]

Os tipos de bens e serviços mudam em sintonia com a renda agregada, de modo que as pessoas com a mesma renda, em termos dos bens do padrão de produção/consumo passado, estarão em piores condições em termos do que é atualmente disponível, com base em um novo padrão. Essas mudanças na composição da oferta, à medida que a renda média se eleva, tornam indisponíveis para os pobres os novos produtos, mais caros e sofisticados, e retiram de produção aqueles aos quais tinham acesso, no antigo padrão. Do mesmo modo que com os ganhos de escala e produtividade, os preços de alguns produtos podem se reduzir, com as mudanças no padrão de produção e consumo, produtos mais baratos podem ser substituídos por produtos mais caros, deixando em situação desfavorável vários grupos sociais, ainda que sua renda tenha se elevado. Essa alteração nos preços, para maior ou menor, e na disponibilidade deve ser levada em conta na definição dinâmica da cesta social.

Em termos simples, comparando-se a "cesta de bens" antes e depois da mudança no padrão de produção e consumo, a mesma renda, em termos reais, permitirá menor satisfação de necessidades, em um contexto de redu-

[13] Como no caso da Etiópia, referido na nota anterior, em Bengala, Bangladesh e na região do Sahel, na África Ocidental, de acordo com Sen, *op. cit.* Mas, também, em muitas áreas do Nordeste brasileiro, ainda profundamente marcadas por deficiências seríssimas na distribuição de bens e serviços de primeira necessidade.

ção das *opções* de consumo, para os grupos cuja renda mantém relação desfavorável com o novo perfil da oferta de bens e serviços.

A mudança na composição e nos preços dos bens, que não se reflete integralmente nos índices de inflação, sobretudo nas séries longas que acompanham os grandes ciclos de mudança, qualifica a elevação relativa da renda, especialmente dos salários de base. Isso significa que o acesso de boa parte da população aos frutos do progresso pode piorar, ao invés de melhorar, dado o perfil de distribuição de renda e a relação entre o padrão de produção/consumo e a renda média da população, e mais particularmente entre aquele padrão e a renda dos estratos inferiores da pirâmide distributiva. O mesmo pode ocorrer com a "cesta alimentar" agrícola.

Esse efeito torna crucial, para a questão distributiva, a questão dos índices de inflação. Evidentemente, do ponto de vista da maioria da sociedade, composta por assalariados, a medida do *custo de vida* deve estar firmemente associada ao padrão básico de consumo da sociedade. Em outras palavras, o índice socialmente significativo de inflação é aquele o mais sensível possível às variações de preço do conjunto de bens que constitui o núcleo do perfil de consumo dos assalariados e no qual esteja representada, com o maior peso, na proporção de sua importância para a grande maioria da população – a "cesta social", que define o patamar socialmente aceitável de subsistência.

Essa, aliás, a razão pela qual o índice de inflação não pode e não deve constituir-se em indexador geral da economia, que requer ele expresse outras relações de preço muito menos significativas sob o ponto de vista do consumo socialmente necessário. A indexação de outros ativos econômicos deveria resultar de previsões contratuais de natureza distinta, reguladas pelo governo. Por outro lado, na medida em que o índice de inflação reflita mais acuradamente o padrão dominante de consumo, que tem como seu núcleo básico a cesta social, tornar-se-ia um parâmetro mais adequado e expressivo para formulação de políticas de renda.

IV. ALGUMAS CONCLUSÕES: A POLÍTICA SOCIAL NO PADRÃO BRASILEIRO

No Brasil, atualmente, convivem duas formas de pobreza. Aquela de natureza estrutural, mais arraigada e persistente, associada ao desdobramento histórico de nosso padrão de desenvolvimento, e a pobreza cíclica, que se agravou com a crise de desemprego, a queda da renda, sua concentração crescente e a aceleração inflacionária.

Além disso, nossa sociedade é marcada por fortes tensões distributivas, determinadas pelo perfil de alocação de recursos e distribuição de renda. Este caracteriza-se pela ausência quase absoluta de critérios de justiça, por sua regressividade e pela interferência, em todas as esferas distributivas e redistributivas, de sólida estrutura de privilégios, política e socialmente cristalizados.

Como se viu, apesar das interações e correlações entre pobreza e desigualdade, estes dois fenômenos constituem objeto de políticas distintas e diferenciadas. Combater a miséria e reduzir a desigualdade são objetivos diferentes, que requerem estratégias de ação diversas e implicam decisões e processos políticos também diferenciados. A natureza dos conflitos subjacentes às políticas de redução ou erradicação da pobreza não é a mesma que a dos conflitos ligados à redistribuição. Isto é verdadeiro, embora haja uma importante faixa de interseção entre os dois. Parte importante da política "antipobreza" consiste em uma modalidade particular de política redistributiva. Mas esta política, no seu contexto global, não se refere necessariamente – e às vezes pode nem mesmo incluir – à redução significativa das desigualdades.

As políticas voltadas para a redução da destituição requerem ações em três linhas principais. Em primeiro lugar, medidas de reorientação, no médio e longo prazo, do próprio padrão de desenvolvimento, de modo a corrigir processos estruturais que estão na raiz do "estoque permanente" de pobreza, o que se denominou pobreza estrutural. Estas correções têm por objetivo modificar o padrão de produção e consumo e alterar a estrutura de oportunidades da sociedade, de modo a assegurar recursos de acesso e mobilidade aos segmentos destituídos.

A política social não pode ficar circunscrita apenas aos chamados *problemas sociais*. Ela requer uma nova política econômica, capaz de induzir mudanças que permitam, de um lado, elevar o patamar de renda das populações pobres e, de outro, redirecionar, em parte, o padrão de produção/consumo, de modo a assegurar melhores condições de acesso da população ao conjunto de bens e serviços essenciais. Ou seja, uma política social consistente e que objetive resultados permanentes, requer políticas industriais, agrícolas e de abastecimento em sintonia com esses objetivos e, sobretudo, orientadas por esses objetivos.

Por outro lado, essas mudanças econômicas dependem de ações em dimensões não econômicas, que a elas combinadas conferem eficácia e viabilidade a toda a estratégia. Assim, por exemplo, os incentivos à ampliação da geração de emprego na sociedade devem ser complementados por programas de treinamento e qualificação de mão-de-obra, seletivamente voltados para os segmentos aos quais se pretende dar melhores condições de acesso e mobilidade.

Em segundo lugar, medidas de curto e médio prazos, que redirecionem o processo econômico no sentido da ampliação das condições de acesso aos bens essenciais e oportunidades de inserção no mercado de trabalho, antes mesmo da consolidação de mudanças mais estruturais. Nesta dimensão, a ação estatal é fundamental, pois os mecanismos de mercado serão insuficientes – e muitas vezes inoperantes – diante das limitações estruturais que ainda persistem.

Essas políticas devem adotar, como um de seus elementos centrais, uma estratégia diferenciada de tratamento das variáveis econômicas que afetam o acesso das populações despossuídas aos bens e serviços essenciais. O objetivo dessa estratégia é o desenvolvimento de formas de comercialização e apreçamento dos bens que compõem a "cesta" minimamente adequada à satisfação das necessidades básicas das populações carentes, diferentes daquelas praticadas nos mercados constituídos pelos grupos de renda superior. Ou, alternativamente, atuar diretamente sobre o poder de compra dos grupos de baixa renda, de modo a que possam obter esses bens naqueles mercados. O programa de "varejões subsidiados" corresponde a uma combinação dessas duas possibilidades. A distribuição gratuita de alimentos, a assistência médica pública, são exemplos da primeira. O programa americano de *food stamps* da segunda. São medidas de prevenção ou compensação que buscam garantir nível mínimo de consumo a esses setores da população.

Cabe ao Estado, portanto, interferir ativamente, com o objetivo de prover *extramercado* formas de acesso e mobilidade que permitam mudar mais rapidamente as condições sociais de vida da população despossuída, atuando, simultaneamente, pela via dos sintomas e das terapias pertinentes, tanto sobre a "pobreza estrutural" quanto sobre a "conjuntural". Evidentemente esta última tende a ser rapidamente reduzida, com a retomada do crescimento, elevação da oferta de emprego e ganhos reais de renda. O problema é que, após um processo recessivo, a retomada deverá sempre ter vigor suficiente para reabsorver aqueles que foram expulsos ou destituídos e, ainda, incorporar os novos contingentes, que alcançam a idade de ingressar no mercado de trabalho. Caso contrário, estes grupos terminam por somar-se ao "estoque estrutural".

Em terceiro lugar, ações de curto prazo, que visam a mitigar os efeitos mais perversos da situação de pobreza, através de programas assistenciais e de correção preliminar, provisória, de superfície, de distorções mais graves com conseqüências profundamente danosas para essas pessoas.

Programas dessa natureza e dessa amplitude requerem, como se viu, decisões políticas cruciais em várias áreas. Não basta definir setorialmente os programas. É preciso definir o conjunto da ação governamental para esse objetivo. Para tanto, certas decisões econômicas devem ser balizadas pela política social. Além disso, envolvem importantes mudanças nos padrões de financiamento do setor público, nas prioridades orçamentárias e no processo de alocação de recursos. Requerem, claramente, modificações na estrutura fiscal do Estado, ponto em que, novamente, entram em interseção com as políticas de redistribuição e redução das desigualdades.

Mas é preciso lembrar, também, que a política social não pode condicionar a política econômica a ponto de comprometer seus objetivos próprios, com repercussões negativas sobre as taxas de inversão, margens de rentabilidade, padrões de eficiência e produtividade, com o que o próprio crescimento seria prejudicado. O crescimento econômico é condição necessária para o êxito desses programas sociais. Não é condição suficiente para resolução dos problemas de pobreza e destituição, mas sem crescimento não é possível falar-se em combater a miséria.

BIBLIOGRAFIA

ATKINSON, A.B.
(1975) *The Economics of Inequality.* Oxford, Clarendon Press.

GIBSON, D.M. e outros
(1985) "Come and Get It: Distributional Biases in Social Service Delivery Systems". *Policy and Politics*, 2, pp. 109-125.

GOLDFINGER, C. e COHEN, S.S.
(1975) "From Permacrisis to Real Crisis in French Social Security: The Limits to Normal Politics", in Lindberg, L. e outros (orgs). *Stress and Contradictions in Modern Capitalism.* Lexington Books, pp. 57-98.

HAVEMAN, R.
(1975) "Introduction: Poverty and Social Policy in the 1960's and 1970's", in Haveman, R. (org.). *A Decade of Federal Antipoverty Programs.* Nova York, Academic Press, pp. 1-19.

HECLO, H.
(1974) *Modern Social Politics in Britain and Sweden.* New Haven, Yale University Press.

HIRSCHMAN, A.
(1981) "The Changing Tolerance for Income Inequality in the Course of Economic Development", *Essays in Trespassing,* Londres, Cambridge University Press, pp. 39-58.

LOWI, T.
(1964) "American Business and Public Policy". *American Political Science Review*

LYNN JR., L.
(1975) "A Decade of Policy Developments in the Income-Maintenance System", in Haveman, R., *op cit.*, pp. 55-117.

MARX, K.
(1977) *Capital,* vol. 1, Nova York, Vintage Books.
(1978) *Capital,* vol. 2, Nova York, Penguin Books.
(1981) *Capital,* vol. 3, Nova York, Penguin Books.

MILL, J.S.
(1965) *Principles of Political Economy,* Books I-II, vol. II, Collected Works, Toronto, University of Toronto Press.
MILLER, D.
(1974) "The Ideological Backgrounds to the Conceptions of Social Justice". *Political Studies,* 21, pp. 387-399.
(1978) "Democracy and Social Justice", in *British Journal of Political Science,* 8:1, pp. 75-100.
OFFE, C.
(1975) "The Theory of the Capitalist State and the Problem of Policy Formation", in Lindberg, L. e outros, *op. cit.,* pp. 125-144.
PINKER, R.
(1968) "The Contribution of the Social Scientist in Positive Discrimination Programmes", in *Social and Economic Administration,* 2:4, pp. 227-411
(1971) *Social Policy and Social Theory,* Londres, Heinemann.
(1979) *The Idea of Welfare,* Londres, Heinemann.
PIVEN, F.F. e CLOWARD, R.
(1972) *Regulating the Poor,* Londres, Tavistock.
POLSBY, N.W.
(1984) *Political Innovation in America,* New Haven, Yale University Press.
REISMAN, D.
(1977) *Richard Titmuss: Welfare and Society,* Londres, Heinemann.
SANTOS, W.G.
(1987) "A trágica condição da política social", in Abranches, Sérgio e outros, *Política Social e Combate à Pobreza*. Rio, Jorge Zahar, pp.33-63.
SMITH, A.
(1976) *An Inquiry into the Nature and Causes of the Wealth of Nations,* R.H. Campbell e A.S. Skinner (orgs.), 2 vols. Oxford, Clarendon Press.
STEWART, F. e STREETEN, P.
(1976) "New Strategies for Development: Poverty, Income Distribution and Growth". *Oxford Economic Papers,* 28:3, pp. 381-405.
TITMUSS, R.M.
(1968) *Commitment to Welfare.* Londres, Allen and Unwin.
(1970) *The Gift Relationship.* Londres, Allen and Unwin.
WALKER, J.L.
(1970) "The Diffusion of Innovation among the American States", in Beyle, T.L. e Lathrop, G.T. (orgs.), *Planning and Politics: Uneasy Partnership.* Nova York, Odissey Press, pp. 35-67.

A TRÁGICA CONDIÇÃO DA POLÍTICA SOCIAL

Wanderley Guilherme dos Santos

I. JUSTIÇA COMO ESCOLHA TRÁGICA

Os romanos sabiam como construir pontes. As sociedades industriais modernas sabem como construir pontes melhores do que aquelas construídas pelos romanos, e ainda outras completamente inacessíveis à competência tecnológica da Roma Antiga. Os romanos não sabiam como administrar e resolver definitivamente o problema da miséria ou, de um modo geral, o problema da justiça social. As sociedades industriais modernas também ignoram como fazê-lo.

A diferença essencial entre as duas situações consiste em que o ordenamento valorativo de construções diferentes pode ser resolvido por via computacional; o ordenamento dos valores implícitos na administração da justiça não. Neste particular, as sociedades modernas são as mesmas sociedades romanas, mas seu padrão de consumo inclui cosméticos tecnologicamente sofisticados. Busca-se nesta reflexão entender os motivos desta escandalosa estagnação tecnológica multissecular – matéria da primeira seção – e, subseqüentemente, especular sobre o que se pode adotar experimentalmente como *second best solution*.

É pelo menos intrigante que o tema "política social" consiga suscitar reflexões e análises suficientes para manter em circulação periódica cerca de meia dúzia de revistas especializadas, além de considerável fluxo editorial de dezenas de volumes por ano, não obstante seja impossível descobrir uma definição que cubra apropriadamente a jurisdição do conceito.[1] Mais do que intrigante, é surpreendente que semelhante indigência analítica não pareça provocar incômodo excessivo nos especialistas na matéria. Tudo se passa como se a mera referência ao fracasso da utopia *laissez-fairiana* em produzir o paraíso terrestre bastasse como critério tanto para delimitar o conjunto de problemas teóricos a solucionar, quanto para encontrar as respostas a esses mesmos problemas.

O suposto implícito é o de que os problemas sociais contemporâneos resultam quase que exclusivamente de falhas de funcionamento do mercado. O corolário óbvio induz à conclusão de que, uma vez remediadas as conseqüências das falhas – mesmo quando se admite que a terapia deva ser ininterrupta –, ficarão resolvidos os problemas sociais. Por um salto mortal

[1] A expressão "política social" teve origem entre pensadores alemães de meados do século passado, que criaram em 1873 uma associação especial para o seu estudo. A história do conceito e uma resenha bastante limitada de suas variantes contemporâneas encontram-se em Werner Cahnman e Carl M. Schmitt, "The Concept of Social Policy", *Journal of Social Policy*, 8, nº 1, janeiro, 1979.

analítico, define-se então política social como o conjunto de atividades ou programas governamentais destinados a remediar as falhas do *laissez-faire*.

É este salto analítico, com certeza, que produz o curioso resultado de que os analistas enumerem praticamente a mesma seqüência de itens classificados como "problemas sociais" – e, pois, concordem tacitamente com a definição *ex-post* e semitautológica de que política social é tudo aquilo que tem por objeto problemas sociais –, *independentemente dos juízos valorativos sobre a ordem social que subscrevem.*

A raiz desse acordo implícito, ao fim e ao cabo, encontra-se na incapacidade original comum de esclarecer conceitualmente o que é política social. Tome-se, como exemplo liberal paradigmático, T. H. Marshall. Em capítulo cujo título é, nada mais nada menos, "O que é política social?", lê-se a seguinte resposta: " 'Política social' é um termo largamente usado, mas que não se presta a uma definição precisa. O sentido em que é usado em qualquer contexto particular é em vasta medida matéria de conveniência ou de convenção (...) e nem uma, nem outra, explicará de que trata realmente a matéria."[2] Outra não é a solução dada por investigador politicamente mais à esquerda, Ramesh Mishra, quando admite que "política social pode ser definida em termos relativamente estreitos ou largos. Nada existe de intrinsecamente certo ou errado em tais definições, na medida em que sejam apropriadas à tarefa em vista".[3]

Tal como ocorre em relação a outras matérias controversas, apenas os marxistas e paramarxistas mantêm-se intocados por qualquer tipo de dúvida. Greffe, por exemplo, está convicto de que "a política social busca assegurar a reprodução das relações sociais, quer dizer, controlar e diversificar a produção de valores de uso de tal sorte que os pertencimentos de classes sejam bem-reproduzidos".[4] Entendo eu, incréu, que Offe está dizendo a mesmíssima coisa quando afirma que "política social é a forma estatal de efetuar a duradoura transformação de trabalhadores não-assalariados em assalariados".[5] Considerando que praticamente a mesma definição teleológica é doutrinariamente aplicada a todo tipo de política – de regulação, de investimento, e até mesmo de lazer –, não estou seguro de que marxistas e afins consigam distinguir conceitualmente uma política social de uma política de coação. Por seu *telos*, ambas garantem a reprodução das posições.[6]

2 Em T. H. Marshall, *Social Policy*, Londres, Hutchinson University Library, 1975, p. 11.

3 R. Mishra, *Society and Social Policy*, Londres, MacMillan, 1982 (1ª ed. 1977), p. X.

4 Xavier Greffe, *la Politique sociale: étude critique*, Paris, PUF, 1975, p. 26.

5 Clauss Offe, *Contradictions of the Welfare State*, Londres, Hutchinson, 1984, cap. 3, "Social Policy and the Theory of the State", p. 92.

6 O que, curiosamente, está de acordo com a mesma definição dada por Otto von Zwiedneck, grande teórico da escola alemã: "Política social, em seu sentido verdadeiro, é

De um modo geral, entretanto, o que se observa é o desconhecimento do problema definicional, em sentido estrito, e o apelo à definição por enumeração de políticas específicas ligadas a problemas igualmente específicos, quer quando se supõe que sejam derivados do fracasso *laissez-fairiano*, quer quando, mais radicalmente, se supõe que decorram estruturalmente da ordem capitalista, em qualquer de suas variantes. Em ambos os casos, as listas de áreas que são ou deviam ser objeto de políticas sociais diferem apenas marginalmente.

Esclareço enfaticamente que minha objeção ao tratamento corriqueiro do conceito de "política social" não se funda na hipótese de que tal definição seja de alcance fácil. Muito ao contrário, estou inclinado a admitir que é impossível encontrar uma definição do conceito que atenda aos seguintes requisitos: a) permita distinguir, em qualquer caso, uma política social de qualquer outra política; b) permita ordenar lexicamente, de maneira incontroversa, duas políticas sociais diversas quaisquer.

Em outras palavras, creio que a probabilidade de que se venha a descobrir, ou inventar, uma definição de política social capaz de gerar classificações exaustivas e mutuamente excludentes é desanimadora. Todavia, é perturbadora a insensibilidade diante da existência mesma deste fato – a dificuldade de definir política social. Dir-se-ia que as investigações e reflexões sobre o valor desta ou daquela política social e, mais, que os juízos prescritivos sobre o que fazer face a determinada miséria social podem ser bem-sucedidos, uns, e bem fundados, os últimos, independentemente do conhecimento ou ignorância quanto às razões pelas quais o instrumental analítico disponível é descartável segundo conveniência ou convenção.

Admite-se aqui premissa distinta. Suponho que o fato de esboçar as raízes da dificuldade fundamental repercute sobre eventuais critérios que auxiliem a ordenar *conveniências* e a desautorizar *convenções*. A relevância da matéria vale o risco dos inevitáveis equívocos.

II. A TRAGÉDIA SOCIAL: EXCESSIVO SABER, EXCESSIVO DESCONHECER

Édipo conhecia em abundância o desenlace de seu destino e desconhecia por completo a trama que o conduziria até ele. Por isso é trágico; outros en-

portanto o conjunto de todas as medidas destinadas a atenuar os antagonismos de classe." Cf. nota 1.

sandecem. À sociedade, porém, não se aplicam, senão metaforicamente, a cegueira, a loucura ou o desterro. Que seriam, de resto, inúteis, perante a inexorabilidade acabrunhante da logicidade trágica.

Durante séculos soube-se elementarmente que os recursos disponíveis em qualquer sociedade eram insuficientes para satisfazer os desejos de todos os seus membros. O problema da escassez permeava o pensamento político e o pensamento econômico, mas não atingia com igual impacto a reflexão ética. Sabia-se alguma coisa, mas ainda pouco. Supunha-se, por isso, que uma sociedade podia incorporar o parâmetro da escassez e ainda assim ser justa. A incompletude seria natural, mas a justiça, humana.

As sociedades modernas, ao contrário de Édipo, percorreram o trajeto da cegueira à claridade, via tragédia. A descoberta de que a opção entre eqüidade (justiça) e eficiência (administração da escassez) constitui genuíno dilema foi apenas a antecâmara para a luminosidade maior do espaço inteiro da sociedade: toda escolha social é uma escolha trágica no sentido radical de que, mesmo decisões altamente benéficas reverberam, em algum lugar, metamorfoseadas em mal.[7] Por exemplo, a decisão de produzir *x* aparelhos de hemodiálise significa não apenas que parcela de necessitados não terão acesso a eles, mas também que carentes de outro tipo não poderão usufruir de, digamos, tratamento com bombas de cobalto. Mais: se se decide produzir aparelhos de hemodiálise em número suficiente para atender à demanda, maior será o número de cancerosos desassistidos. Quanto produzir e o quê converte-se, por se saber algo mais, em outra questão: como estabelecer justo intercâmbio entre o bem e o mal? A política social escapa ao cálculo econômico e ingressa na contabilidade ética, no cerne do conflito entre valores, no trágico comércio entre o bem e o mal.

Considere-se então a seguinte proposição: *chama-se de política social a toda política que ordene escolhas trágicas segundo um princípio de justiça consistente e coerente.* A vantagem desta definição reside na cristalina revelação que faz do caráter metapolítico da política social. A política social não é uma política entre outras, dotada de um atributo que a diferencia das demais, mas da mesma ordem lógica. Ela é, em realidade, uma política de ordem superior, metapolítica, que *justifica* o ordenamento de *quaisquer* outras políticas – o que equivale dizer que justifica o ordenamento de escolhas trágicas.

[7] O problema do dilema entre eqüidade e eficiência é apresentado com clareza e aguda percepção em Arthur M. Okun, *Equality and Efficiency: The Big Tradeoff*, Washington, The Brookings Institution, 1975. A exploração sistemática das implicações econômicas e sociais das escolhas trágicas encontra-se em Guido Calabresi e Philip Bobbitt, *Tragic Choices*, Nova York, Norton, 1978

A escolha de uma política social, portanto, implica essencialmente a escolha de um princípio de justiça, consistente e coerente, cuja superioridade em relação a outros princípios possa ser demonstrada. Pela regra da transitividade, as políticas específicas ordenadas segundo este princípio superior serão socialmente preferíveis a qualquer outro ordenamento. O problema da política social transforma-se no desafio de encontrar um princípio de justiça, coerente e consistente, que seja superior a qualquer outro.

É aqui que a tragédia do saber excessivo começa a revelar-se. Ao se aceitar que uma política é tirânica se "impõe privações severas, quando existe política alternativa que não imporia severas privações a ninguém",[8] e se considerar que princípios de justiça que admitam tais políticas devem ser eliminados, então devem ser afastados todos os princípios de tipo procedural-contratualista – isto é, aqueles que definem procedimentos formais de decisão sem considerar a substância da decisão –, todos os utilitaristas, bem como os princípios fundados em direitos positivos absolutos. Tragicamente, sabe-se que a aplicação consistente de qualquer desses princípios termina por justificar políticas tirânicas.[9]

Abandonando a rigidez de princípios absolutos, suponha-se que se procure, com modéstia, encontrar critérios que atendam às regras de igualdade de oportunidade, entendida esta, desdobradamente, como igualdade de chances de vida e de respeito ao mérito, e de liberdade familiar, entendida como o direito dos pais de disporem do destino de seus filhos infantes. Neste caso, sabe-se também que a aplicação consistente das regras conduz logicamente a um trilema, isto é, a adoção de quaisquer das duas regras acima implica a violação da terceira.[10]

Opte-se, finalmente, pela adesão indiscutível a um só princípio. Seria este talvez o menor dos males, evitando-se o conflito entre valores e, possivelmente, garantindo a realização consistente de pelo menos um. Por exemplo, o princípio da igualdade. A igualdade, porém, pode ser tomada tendo como sujeito o indivíduo, um segmento de pessoas que possuam um atributo comum (por exemplo, cegos), ou um bloco, ou seja, parcelas substanciais

[8] James S. Fishkin, *Tiranny and Legitimacy: A Critique of Political Theories,* Baltimore, The Johns Hopkins University Press, 1979, p. 18.

[9] O livro de Fishkin citado na nota 8 demonstra esse ponto e, que eu saiba, seus argumentos não foram refutados.

[10] James S. Fishkin, *Justice, Equal Opportunity and the Family,* New Haven, Yale University Press, 1983. Fishkin revelaria as dificuldades lógicas de qualquer posição objetivista em relação a problemas semelhantes em *The Limits of Obligation,* New Haven, Yale University Press, 1982, e busca escapar do subjetivismo ético a que suas explorações anteriores pareciam conduzir em *Beyond Subjective Morality: Ethical Reasoning and Political Philosophy,* New Haven, Yale University Press, 1984. A discussão pormenorizada de todos os argumentos excede, entretanto, os limites deste texto.

da população – negros, mulheres etc. (É claro que a distinção entre segmento e bloco é com freqüência contextual, mas nem por isso menos relevante.) Novamente, sabe-se que a aplicação uniforme e consistente do princípio produz desigualdades entre segmentos ou blocos se dirigida a indivíduos, o mesmo ocorrendo em sendo alterado o sujeito ao qual se aplicaria o princípio.[11]

Enfim, sabe-se em demasia que qualquer princípio de justiça – quer deduzido axiomaticamente, quer induzido –, quando aplicado consistentemente, viola a si próprio ou a outro princípio igualmente aceito como indispensável. Dou, a seguir, dois exemplos paradigmáticos que introduzirão o tema do desconhecimento excessivo.

A estratégia de discussão buscará demonstrar que não existem critérios que permitam produzir decisões automáticas que assegurem resolver simultaneamente dois problemas – por exemplo, a acumulação de capital e a eqüidade – e, conseqüentemente, que o critério de tomada de decisão não é lógico-científico nem derivado de comandos constitucionais. Para tanto, se demonstrará que, em termos absolutos, acumulação e eqüidade efetivamente se excluem como valores, o que significa que, a nível micro, qualquer proposta de maximizar a eqüidade sem prejuízo da acumulação em realidade propõe *mudanças relativas* no perfil de desigualdades existentes, sem aboli-las completamente. Entendida de forma não-absoluta, entretanto, a preferência, quer pela acumulação, quer pela eqüidade, é insuficiente para proporcionar um critério de decisão que, automaticamente, garanta uma ou outra das preferências. Exemplo posterior discutirá o problema não mais dentro do cenário lógico-dedutivo, onde as decisões são tomadas de acordo com critérios técnicos, mas no contexto igualmente extremo em que as decisões são tomadas de acordo com a vontade geral. A conclusão final será a de que a realização do valor justiça social não pode ser garantida por nenhum critério automático e que, qualquer que seja a opção *ideológica* (chamemo-la assim) da qual se parta, quer a da maximização da acumulação, quer a da maximização da eqüidade, o que se obtém, em qualquer caso, é a modificação *relativa* do perfil de desigualdades existentes.

11 A referência crucial aqui é a Douglas Rae, *Equalities*, Cambridge, Mas., Harvard University Press, 1981. Imagino que a mensagem subliminar do texto esteja clara. O que os últimos parágrafos sugerem é que *qualquer princípio de justiça, simples ou complexo, produz resultados contrários ao que se deseja quando aplicado da mesma forma em qualquer circunstância.* É esta revelação sistemática da reflexão contemporânea que ajudou a impulsionar a revivescência de um relativismo exacerbado, no campo da epistemologia e no campo da ética.

III. SOBRE A IMPOSSIBILIDADE DE JUSTIÇA[12]

A afirmação de que é impossível maximizar o valor justiça social, buscando, ao mesmo tempo, maximizar o valor acumulação, parece ser de fácil entendimento e eventual refutação. Em realidade, entretanto, trata-se de uma proposição efetivamente ambígua, em sentido técnico, e, por isso mesmo, de modo algum compreensível em seu significado real, isto é, quando tomada como regra de decisão sobre políticas substantivas específicas. Se, por exemplo, se fixam os níveis de salário dos trabalhadores da indústria em torno de certa magnitude, de acordo com o princípio de maximizar a acumulação, o que se está fazendo é frasear o problema da renda de determinado segmento social a partir da ótica da disjuntiva *acumulação versus eqüidade.*

Desde logo, esta não é a única perspectiva de análise do problema. Ele poderia ser tratado, como acredito que de fato o seja, segundo o cálculo do dissenso tolerável, que é um cálculo político cujo resultado é relativamente indeterminado e, portanto, cujas conclusões não podem ser derivadas cientificamente, ou seja, logicamente. Ao formular o problema segundo a disjuntiva acumulação *versus* eqüidade, procura-se, conseqüentemente, transferir o problema do âmbito político, significativamente indeterminado e altamente valorativo, para o universo do discurso lógico, valorativamente neutro e cujo andamento obedece a regras racionalmente irrecusáveis. Valores à parte, o problema da renda de qualquer segmento social converte-se em uma disputa lógica entre duas proposições que competem pela posse de uma verdade científica: ou bem a maximização da justiça social é incompatível com a maximização do processo acumulativo, ou bem não o é. Fixada a preliminar de que tal perspectiva, além de não ser a única possível, não constitui efetivamente a regra máxima de decisões políticas – que postulamos ser a do cálculo do dissenso –, cumpre demonstrar que a disjuntiva acumulação *versus* eqüidade é logicamente insolúvel, o que, indiretamente, virá corroborar a premissa de que a regra de decisão política por excelência é a do cálculo do dissenso.

Afirmar que a maximização da eqüidade é incompatível com a maximização do processo acumulativo ou, alternativamente, que não o é, implica formular o problema da decisão política em termos de preferências. Em outras palavras, tal como fraseada, a questão pode ser assim traduzida: o que se deve preferir prioritariamente, a acumulação ou a eqüidade? Conforme a retórica de alguns, a preferência por um dos termos exclui a preferência pelo outro, enquanto a retórica de outros oferece como argumento a proposição de que é possível preferir ambos, não se tratando de preferências in-

12 Esta seção reproduz, com algumas modificações, parte do capítulo 6, W. G. Santos, *Cidadania e justiça: a política social na ordem brasileira,* Rio de Janeiro, Campus, 1979.

compatíveis. Com isso ingressamos no universo da lógica das preferências, subordinado a regras racionalmente invioláveis. E, contudo, a lógica das preferências é incapaz de proporcionar soluções ao problema, precisamente porque a interpretação *empírica* dos resulados lógicos depende da *semântica política,* a qual extravasa os limites da argumentação estritamente formal. Segue-se a demonstração.[13]

Tome-se a proposição controversa central de que a acumulação é incompatível com a eqüidade. (Deve-se, é claro, perceber que, para o argumento seguinte, a afirmação conversa, isto é, de que a acumulação é compatível com a eqüidade, é equivalente; portanto a argumentação vale para ambas as proposições.) Não obstante sua aparente clareza conceitual, essa proposição permite pelo menos três intrepretações distintas, e não é fácil distinguir, na retórica comum, qual a interpretação que está sendo subscrita. Em verdade, é possível interpretá-la pelo menos de três formas diferentes, cada uma das quais obrigando a compromissos teóricos e, para consistência de lógica e ação, a compromissos de comportamento bastante distintos.

A primeira forma de entender a proposição consiste em interpretá-la como a formulação de uma disjuntiva que obriga a preferências absolutas. Em outras palavras, quando se afirma que o processo acumulativo é incompatível com a maximização da eqüidade (ou a afirmação conversa), é possível que se esteja dizendo que a preferência pela acumulação é uma preferência absoluta, a saber, que o valor privilegiado – quer acumulação, quer eqüidade – é absolutamente preferido a qualquer outro e, *conseqüentemente,* a realização de um exclui a realização de qualquer outro. Se assim for a interpretação da fórmula, então a conseqüência lógica inelutável é que qualquer decisor está comprometido com a idéia de que o universo social é unidimensional, ou *deve* ser reduzido à unidimensionalidade, pela simples e irrefutável razão de que só é possível ter, no máximo, um e apenas um valor absolutamente preferido. Senão, vejamos:

Tese: Ao preferir de maneira absoluta a acumulação à eqüidade, é impossível preferir absolutamente qualquer coisa diferente (digamos, participação política) a qualquer outra coisa.

Demonstração: Se prefiro, absolutamente, acumulação (p) a eqüidade (q), e se prefiro, absolutamente, participação política (r) a conformidade (s), se-

[13] Toda esta seção baseia-se no cálculo das preferências tal como formulado por G. H. von Wright, *The Logic of Preference,* Edimburgo University Press, 1963. Particularmente importante é sua demonstração, trivial do ponto de vista lógico, de que só é possível preferir-se absolutamente um e apenas um valor. Cf. *The Logic of Preference,* parágrafo 12, pp. 29 e segs. Trivial, logicamente, o ponto é extremamente esclarecedor de algumas ambigüidades do discurso político e pode ajudar a tornar mais consistente a argumentação sobre problemas sociais.

gue-se que prefiro absolutamente acumulação (p) e participação política (r) a qualquer outra coisa. Isto implica, entretanto, que as duas seguintes proposições devem ser por mim igualmente aceitas: devo preferir acumulação (p) a qualquer outra alternativa e devo também preferir participação política (r) a qualquer outra alternativa. De acordo com tais implicações, isto significa que devo preferir (p) e (r) em quaisquer condições. Ora, de acordo com a marcha necessária da argumentação estritamente lógica, devo subscrever (aceitar) as seguintes duas proposições: (p) acumulação e não –(r) participação política; e (r) participação política e não –(p) acumulação. Pelo postulado da assimetria, que me obriga a aceitar como inviolável o axioma se (p) (ou (r)), então não –(p) (ou não –(r)), sou induzido ao problema de que, se aceito (p) e (r), sou obrigado a rejeitar (p) e (r), o que é obviamente absurdo. Como se queria demonstrar, portanto, entendendo-se de maneira absoluta a proposição de que maximizar a acumulação implica negar a possibilidade de maximizar a eqüidade (ou a afirmação conversa), fica-se obrigado a subscrever um e apenas um valor.

A conseqüência prática de tal conclusão é a de que, se se interpreta absolutamente a disjuntiva acumulação *versus* eqüidade, como fundamento científico de decisões substantivas específicas, fica-se obrigado a aplicar a mesma regra em qualquer outra circunstância, não cabendo portanto o apelo a outros valores – tais como "humanizar o desenvolvimento", "segurança" etc. – como regra de decisão válida para outros contextos. É claro que tal procedimento é eventualmente utilizado, quando é da conveniência dos que tomam decisões governamentais, mas isso apenas prova que o fundamento das decisões políticas, de acordo com a regra acumulação *versus* eqüidade, interpretada absolutamente, reduz-se a recurso de retórica para a legitimação de decisões cujo determinante é a dinâmica do conflito e da luta pelo poder, antes que pela consistência lógica de uma concepção de mundo que, a ser aceita, o reduziria à unidimensionalidade.

Outra forma de entender a proposição de que a acumulação se contrapõe à eqüidade consiste em interpretá-la condicionalmente. Isto quer dizer que, diante da disjuntiva, por exemplo, estabilidade no emprego e menores salários, quase certamente preferir-se-á estabilidade a menores salários, desde que tal preferência não implique maior taxa de desemprego. Para continuar usando a linguagem dos símbolos, (p) – estabilidade – é preferida a menores salários (r), com a condição de que tal preferência não aumente ou crie a possibilidade de que ocorra (q) – isto é, desemprego. Se, entretanto, a disjuntiva se puser entre menores salários (r) ou desemprego (q), a preferência certamente seria por menores salários. Assim, a proposição *acumulação versus eqüidade,* se traduzida em contextos substantivos específicos, e entendida condicionalmente, não fornece qualquer critério automático de decisão, visto que requer o ordenamento de preferências, o qual não pode ser logicamente deduzido. Se, ao contrário, interpreta-se a proposição em termos condicionais, porém sem permanente consulta aos interessados, é possível, melhor dizendo, provável, que as decisões sejam contrárias ao ordenamento do público interessado.

Demonstração: Suponha-se que, do ponto de vista da força de trabalho industrial, suas preferências se ordenem da seguinte forma: prefere estabilidade a menores salários e menores salários a desemprego. Em termos simbólicos, a ordenação de preferências é: (p) a (r) e (r) a (q). Se a disjuntiva for, neste caso, (p) ou (r), a preferência será por (p), desde que não se considere a possibilidade de (q). A introdução do condicional, entretanto, significa que a regra de decisão não pode ser tão simples quanto a disjuntiva acumulação *versus* eqüidade sugere. Em cada caso, a preferência por uma das alternativas dependerá de um terceiro termo e, conseqüentemente, o automatismo da regra se esvazia.

A introdução do condicional significa a introdução de um ordenamento de preferências e é aí sobretudo que o discurso (retórica) dos decisores, assim como de seus críticos, se fará em realidade. Admita-se que, desagregadamente, isto é, em relação a políticas específicas, o problema da eqüidade *versus* acumulação se traduza na seguinte discussão: estabilidade no emprego, magnitude de salários e taxa de desemprego. A terceira forma de entender a disjuntiva acumulação *versus* eqüidade, em termos concretos, implica uma definição do tipo de preferência em relação aos três termos: estabilidade, menores salários e desemprego.

Visto que o problema foi traduzido em termos lógicos – o que significa que seria possível solucioná-lo cientificamente –, resta o entendimento da disjuntiva em termos incondicionais. O que isto quer dizer?

Assuma-se que o ordenamento do público interessado seja o seguinte: 1) estabilidade; 2) menores salários; 3) desemprego. Tomando-se a retórica de alguns, a disjuntiva acumulação *versus* eqüidade, quando traduzida em problemas específicos, obriga a definição de um ordenamento incondicional de preferências, e, a partir daí, seria possível definir uma regra de decisão que atendesse ao mesmo tempo à escala de preferências do público interessado e aos requisitos da racionalidade científica.

De acordo com a premissa de preferências incondicionais, a escolha por um termo de qualquer disjuntiva implica que todas as demais condições do sistema não se alterarão em função da escolha (a cláusula *coeteris paribus* da codificação econômica). Assim, a preferência do público seria (p) – estabilidade – a (r) – menores salários – e (r) a (q) – desemprego –, aceita a premissa de *coeteris paribus,* isto é, que cada decisão não teria impacto sobre outras variáveis do sistema. Assumido o ordenamento previamente definido e interpretando-o como uma preferência não absoluta nem condicional, mas incondicional, as deduções lógicas, de acordo com certa argumentação, seriam as seguintes: (p) e não –(q) e (p) e não –(r) e (r) e não –(q). Entendido o ordenamento de tal forma, incondicional, o sistema lógico que forneceria um critério automático de decisão seria o seguinte:

1) (p) – estabilidade – é preferível a não –(q) – desemprego – e a não –(r) – menores salários; e esta proposição é preferível às seguintes:
2) não –(p) e (q) e (r);
3) não –(p) e (q) e não –(r); e
4) não –(p) e não –(q) e (r).

Tudo estaria bem se, assumindo igualmente o caráter incondicional da preferência; os tomadores de decisão governamentais não pudessem formular o problema de outra forma – igualmente garantida pelas regras da lógica – e que se apresentaria da seguinte maneira: escolha entre estabilidade (p) ou desemprego (q) *versus* menores salários (r). Se o público interessado escolhesse menores salários perderia a oportunidade de ter iguais ou melhores salários e, ao mesmo tempo, estabilidade no emprego. Se escolhesse a primeira alternativa poderia obter estabilidade e maiores salários *ou* desemprego e, no mínimo, salários iguais. Assim, a escolha da primeira alternativa abre a perspectiva de obter o máximo que o público interessado deseja – estabilidade e, no mínimo, iguais salários – mas também poderia obter maiores taxas de desemprego, a última escolha no ordenamento de preferências do público interessado. A escolha neste caso é extremamente difícil, pois a primeira alternativa pode produzir como resultado uma decisão política que aparece em último lugar na escala de preferências.

Portanto, interpretar a disjuntiva acumulação *versus* eqüidade em termos de preferências incondicionais, ao mesmo tempo em que abre a possibilidade de construção de um sistema de derivações no qual a regra de decisão seja favorável àqueles que sustentam a possibilidade de conciliação entre acumulação e eqüidade, por outro lado permite a formulação do problema de forma tal que a decisão política final, embora obediente às regras da lógica, contraria o ordenamento de preferências do público interessado. Fundamental, sobretudo, é a conclusão de que não há regra lógica capaz de decidir qual a forma cientificamente aceitável de apresentar o problema.

É logicamente impossível, portanto, resolver o problema do fluxo de renda de determinado segmento social quando formulado sob a forma lógica da disjuntiva acumulação *versus* eqüidade. Assumindo agora o extremo anarquista no sentido de que o governo inexiste e todas as decisões são tomadas pelo público interessado, ainda assim verificar-se-á que não é possível garantir a realização do valor *justiça social,* agora por outras razões.

As sociedades requerem que cada um abdique do direito natural de ser o único juiz de suas próprias ações, se é que a efetivação do conflito latente no estado da natureza deve ser evitada. Viver no estado da natureza é usufruir a liberdade de seguir eventuais inclinações sem outra consideração além da de obter satisfação máxima para as necessidades presentes. A regra universal de comportamento implícita aqui é a de que as pessoas deveriam agir de acordo com seu próprio julgamento sobre o que é melhor para elas no contexto de uma dada situação. Vamos chamá-la de "regra constitucional do estado da natureza (ou estado natural)".

Seguramente, a situação social resultante da aplicação sistemática de tal regra seria não o paraíso da liberdade infinita, mas uma estrutura de servidões e desigualdades decorrentes das diferenças normais entre os homens em força, malícia e determinação. A regra de cada um fazer o que bem entender conduziria, na realidade, a um mundo onde cada um faria apenas o que pudesse, constrangido cada qual em seu lugar social pelo conflito generalizado e sem limites. Na medida em que os fundamentos do sistema social – diferenças em força, malícia e determinação – são demasiadamente instáveis e vulneráveis (alguém anteriormente derrotado numa competição pode sempre tentar um novo truque e ser bem-sucedido; a idade traz sempre fraquezas e com ela a eventual subversão do arranjo social prevalecente), a regra destrói-se a si mesma como possível constituição para a sociedade humana, já que nenhuma cooperação produtiva entre os homens – forçada que fosse – resistiria mais do que uma geração, talvez menos.

A existência da sociedade é incompatível com a disseminação ilimitada e universal do conflito e requer, em conseqüência, que cada um renuncie ao direito de impor regras em benefício próprio, de acordo com as circunstâncias. Ao contrário, pede-se mesmo que, ao aderir à obediência de regras impessoais, cada um esteja disposto a apoiar dispositivos que sejam ocasionalmente contrários a seus interesses.

A emergência das sociedades se justifica pelo objetivo de garantir uma justa distribuição de sacrifícios e benefícios entre os cidadãos, com base na qual um estado de cooperação produtiva regular entre eles possa ser obtido. Para este efeito, um novo conjunto de normas deve ser estabelecido em substituição à norma "constitucional" do estado da natureza.

Proceda-se, primeiramente, à seguinte distinção entre dois conjuntos diferentes de regras: a) *regras substantivas,* isto é, as decisões relativas à alocação de sacrifícios e benefícios na sociedade; b) *regras de procedimento,* isto é, as normas que estipulam os processos de decisão sobre *a*. Dá-se, com freqüência, o caso de diferentes regras substantivas requererem diferentes regras procedurais. Assim, na dependência do arranjo básico da sociedade, algumas regras substantivas terão que ser estabelecidas segundo o critério da maioria absoluta, enquanto, para outras, convenciona-se que maioria simples é condição satisfatória para decisão e, finalmente, para outras ainda, pode ser o caso de que um único indivíduo, no desempenho de um papel de autoridade e em nome da sociedade, venha a ser o supremo legislador relativamente a certa área de problemas. Esta maquinaria de decisão é altamente elaborada nas sociedades modernas, exatamente porque se percebe que, uma vez abandonada a regra constitucional do estado da natureza, a implementação de normas substantivas e, igualmente, o conteúdo delas, dependerá largamente das normas procedurais. Neste ponto, uma séria questão pode ser suscitada: quais procedimentos se deverá adotar para se estabelecer legitimamente as normas procedurais?

Aparentemente, a distinção entre normas substantivas e procedurais está viciada por uma regressão ao infinito. Uma comunidade teria que escolher os procedimentos para estabelecer as normas substantivas; antes, porém, deveria estabelecer as regras para definição dos procedimentos, e assim repetidamente, ficando presa nesta espiral em torno do vazio e incapaz de iniciar o processo de cooperação social. Para evitar esta armadilha escolástica, precisamos introduzir uma segunda distinção e considerar a existência de dois tipos de normas procedurais: normas procedurais fundamentais e normas procedurais contingentes. As normas procedurais contingentes são normas adotadas pela sociedade face a questões substantivas ocasionais, *e são estabelecidas de acordo com os comandos das normas procedurais fundamentais.* As normas procedurais fundamentais, enfim, são o pacto constitucional da sociedade, isto é, são as normas que agregam uma multidão de pessoas a partir de então dispostas a cooperar umas com as outras na construção de uma comunidade *sob a vigência daquelas normas estabelecidas.* Em outras palavras, as pessoas concordam em trocar seus direitos constitucionais do estado natural pelas regras que constituirão a sociedade. Estas normas estipulam como as questões substantivas devem ser resolvidas – em substituição ao comando natural "pegue o que puder" – e, também, como estabelecer normas procedurais contingentes.

Claro, aqueles que acreditam que se darão melhor continuando a viver de acordo com a norma constitucional do estado da natureza não serão parte do "compacto", não se integrarão à sociedade. Isto significa que o pacto constitucional só pode ser estabelecido por unanimidade. Do fato que as normas procedurais fundamentais são precisamente aquelas normas que se substituem à norma constitucional do estado natural, segue-se que apenas aqueles que concordam com elas escolherão abandonar o estado natural para participar da sociedade. Visto por outro ângulo, fica também entendido que qualquer norma procedural a que falte o apoio unânime da comunidade não pode ser tomada como fundamental e, conseqüentemente, nenhuma norma procedural contingente ou normas substantivas podem ser legitimadas por ela. Este ponto leva ao problema da justiça procedural, que vamos considerar agora.

Justiça é, em princípio, uma questão substantiva. Ela tem a ver com a razão sacrifício/benefício alocada a cada indivíduo na sociedade. Se reconhecermos o fato de que o mundo humano é um mundo de escassez, então teremos de admitir que não há bens suficientes para satisfazer as necessidades e/ou desejos de todos no nível demandado por cada um. A reprodução cotidiana da sociedade, de outro lado, requer que cada um concorra para a sobrevivência da comunidade com sua quota de trabalho e esforço. Um estado de coisas justo seria, então, aquele em que a distribuição da razão sacrifício/benefício é justa. Desde que esta distribuição é matéria de normas substantivas, pode-se afirmar que uma norma substantiva é justa na medida em que ela implique uma justa distribuição da razão sacrifício/benefício. Mas, como é possível julgar a justiça de uma norma substantiva?

Calcular utilidades – chamemos *utilidade* o resultado de qualquer razão sacrifício/benefício – suscita um problema de solução difícil. Considerando o fato de que as quantidades envolvidas não são homogêneas – enquanto alguém obtém *x, y, z,* outro obtém, *a, b, c* –, quem irá decidir que, por exemplo, *n* de *x* vale *n/2* de *a?* Como pode alguém dizer que sua quota de sacrifício foi duas vezes maior de que a de algum outro?

Uma saída possível seria o estabelecimento de um árbitro ao qual a sociedade concedesse autoridade para decidir quando uma norma substantiva é justa. Contudo, a menos que o árbitro possuísse secretamente uma escala de transformação, ele não estaria em melhor posição para desincumbir-se da tarefa de distribuir propriamente sacrifícios e benefícios. O que é mais de se esperar, ao contrário, é que cada um envolvido na questão demande participação no estabelecimento de normas substantivas, somente confiando na justiça daquelas por ele aprovadas. Desde que o mesmo raciocínio se aplica a todos igualmente envolvidos, pode-se concluir que, de acordo com esta alternativa de decisão, nenhuma norma substantiva é justa, a menos que todas as pessoas interessadas no problema a aprovem. Esta é, claro, uma posição extrema – o extremo democrático – que se contrapõe à primeira alternativa – o extremo autoritário. Mas esta não é a principal questão neste momento, porque tais posições radicais podem ser suavizadas no processo prático de constituição de uma sociedade.

Tomemos a solução democrática extrema. É claro que seria um difícil compromisso para qualquer sociedade se cada norma substantiva tivesse de ser aprovada unanimemente. Considere-se, então, o seguinte arranjo: no processo de estabelecer, por unanimidade, as normas procedurais fundamentais, algumas provisões são aprovadas declarando que, no que concerne ao conjunto de questões substantivas *x, y* e *z,* os procedimentos apropriados a seguir são tais e tais, todos requerendo menos que a unanimidade.

Ou considere-se este procedimento fundamental ainda mais flexível: no evento de questões substantivas *a, b* e *c,* os procedimentos a serem seguidos para resolvê-las devem ser estabelecidos assim e assim. Neste caso, a norma procedural fundamental define um procedimento para estebelecer um procedimento e esta segunda norma procedural seria um exemplo de uma norma procedural contingente, à qual nos referimos antes. Se todas as pessoas envolvidas concordam com esta regra procedural fundamental, então todos terão que concordar com a norma procedural contingente resultante e, *mais ainda,* com a norma substantiva que venha a ser instituída com base na norma procedural contingente, *ainda que aprovada sem unanimidade.*

O ponto que desejo deixar claro é que, mesmo quando se requer unanimidade – e acabo de mostrar que essa exigência pode ser consistentemente relaxada –, o problema da justiça, que é um problema substantivo, em princípio, torna-se uma questão apenas de procedimento. Uma norma substantiva é justa se é estabelecida de acordo com normas procedurais justas; e uma norma procedural é justa se é "constitucional", isto é, se ela foi desde logo declarada no pacto constitucional ou estabelecida de acordo com as provisões constitucionais. Em suma, justiça é justiça procedural.

O argumento a favor da justiça procedural – como critério de decisão sobre a justiça de um dado estado de coisas – desenvolveu-se a partir das dificuldades que se antepõem à comparação intersubjetiva de utilidades.[14] Em muitos casos é impossível distinguir uma quota de sacrifício mais leve de uma mais pesada, e a justiça procedural decide a questão. Mas também ocorre que o puro critério de justiça procedural pode conduzir a situações intuitivamente injustas, *de um ponto de vista substantivo,* mesmo quando a norma procedural da unanimidade é observada.

Tomemos o caso de uma comunidade até então racialmente discriminadora a ponto de decidir a questão da integração escolar, isto é, a obrigação das escolas receberem crianças negras e brancas. As pessoas que vão decidir são os pais das crianças, negros e brancos, e o procedimento a ser seguido é a norma da unanimidade. Acontece, entretanto, que nesta particular comunidade os preconceitos raciais são igualmente distribuídos entre

14 É claro que este é um argumento clássico em defesa da concepção utilitarista da justiça e que não é substancialmente modificado pelas tentativas recentes de fundamentar a solução do problema da justiça em revisões da concepção utilitarista (Cf. por exemplo, Nicolas Rescher, *Distributive Justice,* Indianapolis, Bobbs Merril, 1966). A contribuição da discussão, se alguma, consiste em demonstrar que a conversão do problema substantivo da justiça não é resolvido por sua transformação em um problema constitucional, isto é, procedural, tal como proposto por John Rawls, *A Theory of Justice,* Oxford University Press, 1972 e, utilizando outro instrumental, por James Buchanan e Gordon Tullock, *The Calculus of Consent,* Ann Arbor, The University of Michigan Press, 1962.

os pais, e a norma substantiva unanimemente aprovada é a de que não deve haver qualquer integração na comunidade, mas, ao contrário, duas escolas: uma para negros, outra para brancos. É justa esta norma substantiva? De um ponto de vista procedural, certamente. Mas a questão é: mesmo a mais justa das normas procedurais que se possa obter – a norma da unanimidade – será suficiente para garantir que a norma substantiva nela apoiada será *substantivamente* justa? Ou devemos qualificar a validade da norma dizendo que ela só é operativa quando as pessoas envolvidas preenchem certos requisitos suplementares?

A segunda interrogação sugere que a análise minuciosa do exemplo permite a conclusão de que a justiça procedural, para ser efetiva do ponto de vista substantivo, requer alguma qualificação da natureza humana. Por exemplo, pode ser visto que a justiça procedural requer não apenas que as pessoas sejam conscientes de sua escala real de preferências, mas também capazes de distinguir, entre cursos alternativos de ação, aquele que as serve melhor – ou seja, requer pessoas racionais. Ademais, para que a justiça procedural produza justiça substantiva também é necessário que as pessoas sejam capazes de antecipar completamente as conseqüências totais de cada um dos cursos alternativos de ação. Os pais do exemplo considerado poderiam ser qualificados como pessoas racionais no sentido de possuírem uma escala de preferências bem discriminada, além de serem capazes de escolher o curso de ação adequado à produção do estado de coisas que preferem. Contudo, não é sensato supor que saibam, com segurança, que as múltiplas conseqüências da decisão que tomarem serão as mais favoráveis a longo prazo. Eles certamente não possuem a informação necessária para isso. E porque é possível antecipar algumas conseqüências que eles próprios considerariam injustas é que nos sentimos autorizados a dizer que a decisão que tomaram é intuitivamente injusta de um ponto de vista substantivo.

Justiça procedural não pode ser sempre operativa, na ausência de informação completa e perfeita. Desde que informação perfeita, sem distorção, raramente ocorre – sendo a percepção humana permanentemente perturbada por emoções, experiências passadas e sabe-se lá o que mais – e que informação completa, a antecipação de todas as possíveis conseqüências de uma ação, está além da capacidade humana natural, segue-se que aceitar cegamente, em qualquer caso, a legitimidade da justiça procedural é abandonar-se a um critério de justiça cujos requerimentos básicos de validade são irrealistas – mais ainda, inumanos.

Normas procedurais, tanto quanto normas substantivas, são o resultado da ação de seres humanos. Como tal, elas participam das características de seus autores, isto é, são falíveis, passíveis de erro. Em conseqüência, não existe nem pode existir nada semelhante a normas perfeitas, imutáveis. Na dúvida, trata-se de direito humano elementar voltar a discutir a base de legitimidade em que se apóiam.[15]

Assim, também o cenário plebiscitário não fornece critério automático para a produção de justiça. Ao converter o problema substantivo em um problema "procedural", o cenário plebiscitário compromete-se com requisitos que ultrapassam a capacidade humana natural. Como se queria demonstrar, portanto, não há critério lógico-científico ou derivado de pactos constitucionais capaz de produzir critérios de decisão automática em matéria de controvérsia política.

O exercício anterior apontou para o outro extremo da tragédia social. Ainda quando houvesse universal consenso entre os membros de uma comunidade quanto aos princípios que deveriam regular suas interações, não estaria assegurada a não-violação desses mesmos princípios. E a origem desta possibilidade encontra-se no que genericamente se denomina de conseqüências não antecipadas de ações ou processos sociais. Trata-se do excessivo desconhecimento que se possui da trama, em seu duplo sentido, da sociedade.

Não é que se ignore tudo. Boudon, por exemplo, em brilhantes reflexões, tentou estabelecer uma tipologia não exaustiva do que denominou de "efeitos emergentes" de sistemas interdependentes – aqueles que, em seu entendimento, constituem o objeto próprio da análise social.[16] Sam Sieber, por seu turno, investigou diversos caminhos pelos quais certos processos, políticas sociais no caso, produzem um efeito emergente específico – o efeito regressivo, caracterizado pela deterioração e agravamento do problema que pretendia resolver (efeito-reforço, na terminologia de Boudon). A tais resultados denominou de "ironias da intervenção social".[17]

Chamar a tais efeitos não antecipados de ironia é retoricamente adequado, mas dramaticamente incompleto. Se se tem presente o conhecimento demasiado que já se possui sobre o inevitável fracasso de qualquer tentativa de realizar ideais de justiça – e a absoluta impossibilidade de cegueira, loucura ou desterro sociais, quer dizer, a compulsão sisífica de continuar ten-

15 Com isto se quer dizer que, parafraseando N. M. Nathan, *The Concept of Justice*, Londres, MacMillan, 1971, p. 29 ("The range of conceivable principles of justice is terrifyngly vast"), qualquer investigador está autorizado a afirmar que, igualmente, o escopo de imagináveis princípios de injustiça é terrivelmente vasto.

16 Raymond Boudon, *The Logic of Social Action*, Londres, Routledge and Kegan Paul, 1981 (1ª edição francesa, Hachette, 1979), particularmente capítulos 3 e 4.

17 Sam Sieber, *Fatal Remedies: The Ironies of Social Intervention*, Nova York, Plenun Press, 1982.

tando, *quand même* –, os efeitos perversos emergentes não são irônicos, mas o lance derradeiro da tragédia social.

O caráter trágico do drama social não decorre do desconhecimento da existência de efeitos perversos, mas da incerteza radical sobre quando e onde se vão desenrolar. Pois uma coisa é construir uma tipologia de tais efeitos, ou mesmo conseguir traçar, *ex post,* os labirintos percorridos por uma causa até transmutar-se em seu contrário efeito. Outra, bem mais árdua, é antecipar tempo, lugar e forma de conseqüências não sabidas. Nem se trata de matéria a ser resolvida em algum momento do progresso do conhecimento. A raiz insanável da imprevisibilidade dos efeitos está no que chamo de o *princípio da mão invisível do caos,* o qual exprime precisamente a idéia de que a trama, a teia de relações sociais, faz com que estas se mediatizem umas às outras, refratando trajetórias e transubstanciando processos e identidades. É este princípio que responde pelo permanente rebuliço do mundo social, que faz da ignorância ingrediente da condição humana original e da vida em sociedade uma tragédia em sentido estrito.[18]

A inexistência de uma definição precisa de política social explica-se por seu caráter de *metapolítica,* matriz de princípios ordenadores de escolhas trágicas, embutidas estas em praticamente todas as políticas específicas. O caráter mutável e controverso desses princípios faz com que políticas singulares ora apareçam como sociais, ora não, ou, para usar a terminologia corrente, sejam ou não consideradas como políticas sociais dependendo de conveniência e convenção.

Assim, a formulação de critérios para avaliar ou desenhar políticas sociais não pode ser outra coisa que permanente experimento com o imprevisível, lance de dados em que os seres humanos são ao mesmo tempo os jogadores, os dados e os fabricantes do acaso. Regras para participar de um jogo em que o objetivo é minimizar perdas e adiar a falência, todavia inevitável, antes que derrotar um adversário sem face e onipotente – eis o que, na realidade, pode ser obtido com algum engenho e arte.

IV. A PRÁTICA DA POLÍTICA SOCIAL E SEUS PROBLEMAS

Definir uma política social abrangente suscita o enunciado claro do elenco de problemas que devem ser razoavelmente equacionados tendo em vista au-

[18] W. G. Santos, "Reflexões sobre o liberalismo", *in* Bolivar Lamounier, Francisco Weffort e Maria Victoria Benevides, orgs., *Direito, cidadania e participação,* São Paulo, T. Queiroz, 1981.

mentar a probabilidade de eficácia das políticas específicas que vierem a ser escolhidas. Esta seção expõe, tão sucintamente quanto possível, a natureza de oito dos principais problemas que qualquer política considerada como social terá necessariamente de enfrentar.

O primeiro problema diz respeito aos constrangimentos a que qualquer política social abrangente deve prestar obediência. Eles são basicamente dois, um de natureza analítica, outro de natureza empírica. Analiticamente, é necessário ter presente o resultado fundamental da seção anterior: não é possível utilizar um só critério de justiça ou princípio de ordenamento de escolhas trágicas na decisão sobre políticas alternativas. Já foi teoricamente demonstrado que a aplicação uniforme de um mesmo e só princípio de escolha social termina por produzir decisões cujos efeitos são contrários aos que se desejava obter. Em termos mais específicos, nem o princípio utilitarista em suas versões contemporâneas, nem princípios que privilegiam a igualdade perante procedimentos, nem princípios fundados em teorias sobre direitos absolutos, nem o princípio rawlsiano que busca maximizar a posição relativa das camadas mais baixas da população (esta é uma forma simplista de apresentar seu princípio *maximin*), nenhum deles, se aplicado uniformemente a todas as áreas socialmente problemáticas, produz resultados consistentes.[19]

A implicação crucial desse constrangimento consiste na necessidade de que a escolha entre políticas alternativas procure, preliminarmente, esclarecer qual o critério de decisão mais apropriado para o problema em foco *e considerando o objetivo que se deseja alcançar.* Se este parâmetro apresenta, por um lado, a desvantagem de não proporcionar ao tomador de decisões um critério a ser automaticamente aplicado a todos os problemas sociais, torna no entanto legítima e defensável a utilização de critérios diferentes de decisão, para diferentes problemas, sem que por isso as políticas sociais escolhidas se tornem vulneráveis à objeção de incoerentes ou irresponsáveis.

Eis um exemplo para iluminar o ponto. É possível analisar as políticas de saneamento básico e de assistência médica à infância e decidir que devem se pautar pelo princípio dos direitos absolutos – o que significa, na prática, que entre as alternativas de oferecer ambos os serviços de forma qualitativamente superior, porém limitados a certas áreas geográficas do país, ou proporcioná-los a todo o país, embora de qualidade inferior, não há razão legítima e plausível para optar pela primeira alternativa. Ao contrário, seria

[19] A repetição enfática do ponto essencial da primeira parte do texto é importante, parece-me, para que não se perca de vista, ao discutir questões de natureza mais pragmática, a fragilidade epistemológica básica sobre a qual se fundamenta toda política "social".

perfeitamente legítimo – segundo o princípio de direitos absolutos – distribuir universalmente os recursos disponíveis para tais políticas, compartilhando a população das conveniências e inconveniências desta igualdade distributiva, justamente pela ausência de critérios que permitam discriminar positiva ou negativamente esta ou aquela área geográfica.

Já no que concerne, em outro exemplo, à escolha trágica entre maiores salários e maior desemprego ou menores salários e menor desemprego, quando efetivamente se coloca tal problema, justificar-se-ia a aplicação do critério utilitarista (em termos simples, aquele critério que maximizasse, no agregado, a utilidade média da população até *x* salários mínimos) ou do critério *maximin,* isto é, aquele que procura maximizar a participação da camada mais inferior da população no consumo de bens e serviços disponíveis.

Claramente, a aplicação de um ou de outro critério implicaria diferentes *tradeoffs* entre salário e emprego e a preferência por um ou outro exigiria a consulta aos dados empíricos para avaliar o provável impacto de cada um dos princípios. Em acréscimo, a decisão orientar-se-ia por um ou outro princípio, dependendo das prioridades do decisor desdobradas no tempo – por exemplo, ritmo desejado de queda na taxa de inflação, nível suportável de desemprego e expectativa de taxas de crescimento econômico.

Em síntese, o constrangimento de natureza teórica quer dizer muito pedestremente que políticas "sociais" implicam variados perfis de *tradeoffs* entre valores ou objetivos, e que em cada caso deve ser inicialmente elucidada a natureza do *tradeoff* embutido na escolha feita e as razões que a justificam.

O constrangimento de ordem empírica se expressa, por analogia com a matriz insumo-produto da economia, na *matriz social produto-problema.* Quer isto dizer que diversos problemas de natureza social são resultado de políticas geradas em outras áreas e que, por conseguinte, não podem ser solucionados exclusivamente pela adoção desta ou daquela política social, nem mesmo por maior volume de recursos a ela alocados. Por exemplo, o volume de recursos gastos sob a rubrica "benefícios pagos por acidente no trajeto casa-trabalho-casa" do orçamento previdenciário brasileiro cresceu nos últimos dez a 15 anos a uma taxa alarmante e muito além de qualquer proporção razoável em relação à taxa de crescimento da força de trabalho coberta pela CLT. Não existe política social em sentido estrito que possa solucionar definitivamente ou mesmo reduzir a magnitude deste problema, já que se trata de um problema-produto das políticas de transporte e viária. Paradoxal e cruelmente, quanto mais se tentar remediar problemas-produto via política social em sentido estrito – por exemplo, aumentando o valor dos benefícios pagos por acidente de trajeto –, mais lento será o processo de sensibilização para a real origem do problema e conseqüente retificação de cursos ou modificação nas prioridades governamentais.

Exemplo mais complexo é representado pelo dispêndio com assistência médica a infantes e menores em geral, problema-produto de causalidade múltipla que inclui a política de saneamento – a qual, diga-se de passagem, sendo uma política social em sentido trivial, é todavia elaborada e executada por órgãos que se orientam por cálculos econômicos estreitos –, a política de urbanização, a política de atendimento à gestante e a política de nutrição infantil. As duas últimas são tipicamente sociais, porém não as duas primeiras, segundo entendimento corrente. E outra vez, paradoxal e cruelmente, uma bem-intencionada política que, via aumento de recursos alocados, prestasse satisfatório atendimento aos infantes e menores contribuiria para a permanência das fontes geradoras do problema.

A implicação estratégica desse constrangimento não consiste, obviamente, na recomendação de que se interrompa a adoção de políticas sociais nessas áreas – ou em outras, já que os exemplos podem ser multiplicados. O que, sim, torna-se imperativo é a análise cuidadosa de cada problema a fim de verificar em que posição ele se encontra na matriz produto-problema, o que evitaria o equívoco de se *oferecer mais a mesma política* com base no suposto de que a solução do problema é função do volume de recursos aplicados. Uma vez identificada a posição do problema na matriz produto-problema, evita-se o dispêndio perdulário, pois que a demanda, em certas áreas, é elástica em relação à oferta, reforçando a perspectiva errônea de que a política adequada consiste em oferecer mais a mesma coisa. Ademais, obtém-se preciosa informação sobre os efeitos sociais não antecipados de políticas eventualmente bastante remotas da área social (os efeitos emergentes de todo tipo de que se tratou na primeira parte).

As limitações inevitáveis de qualquer política social, quando sistematicamente reconhecidas, especificam os graus de liberdade do decisor e, ao mesmo tempo, são úteis na busca de maior eficiência no uso dos recursos disponíveis. Além disso, provocam a gradativa construção da matriz produto-problema, que pode auxiliar no acréscimo de racionalidade do sistema decisório em geral.

O segundo problema refere-se ao debate sobre o conteúdo da expressão "política social". Em que consiste, efetivamente, uma política social? Ou, melhor ainda, que tipo de problemas demandam políticas consideradas como sociais? Não se trata de acadêmica questão definicional, que possa ser resolvida nominalisticamente, ou seja, ao sabor da vontade do decisor. Nem tudo que aquele que decide considera como passível de ser objeto de uma política social o é na realidade, da mesma forma que muita coisa por ele descurada o é de fato.[20]

20 A inexistência de uma definição incontroversa, e a razão dela, foi objeto de discussão na primeira parte. Aqui busca-se retirar as implicações pragmáticas do ponto.

Entre as diversas definições propostas tome-se, como exemplo do primeiro tipo de engano, as considerações de Nicolas Rescher que estipulam como apropriado objeto de política social, ao lado de diversas outras circunstâncias em que se encontram os indivíduos, o seu tônus mental. Independentemente de dificuldades de ordem técnica – como definir e medir tal conceito? –, sabe-se que existe elevado coeficiente de correlação entre a competitividade econômica e social das economias de mercado, mais a excessiva aglomeração das grandes metrópoles, por um lado, e a incidência de *stress* e neuroses entre as populações urbanas, por outro. Qualquer que seja a definição do conceito de "bom tônus mental", esta certamente não incluirá *stress* e neuroses entre seus ingredientes – de onde se pode inferir que uma política preocupada com o tônus mental dos cidadãos deveria tentar impedir a recorrência de semelhantes distúrbios psicológicos. Todavia, como é claro, uma política social que buscasse estancar o problema em sua fonte estaria obrigada a substituir a estrutura institucional das sociedades capitalistas e regular drasticamente a mobilidade horizontal. Decididamente, o estado do tônus mental dos cidadãos de qualquer país ultrapassa o âmbito administrativo de políticas sociais.

Exemplo do segundo erro, o de não se considerar como problema social algo que sem dúvida o é, pelo menos em parte, encontra-se na referência já feita ao impacto social das políticas viárias e de transportes urbanos. Tomando ainda a realidade brasileira como referencial empírico, poder-se-ia listar uma série de outras questões que aparecem como problema social, ora por serem resultado de ineficientes políticas anteriores tipicamente sociais, ora por serem a conseqüência de políticas que são percebidas como socialmente não-dependentes, isto é, cujos resultados em nada afetam, ou só muito remotamente, o estado social do país.

O programa de adestramento da mão-de-obra industrial adulta executado pelo Ministério do Trabalho, por exemplo, resulta da inadequação das oportunidades de aprendizado técnico-profissional oferecidas pelo sistema educacional. Claro está que a periódica reciclagem da força de trabalho transformou-se em requisito indispensável nas modernas sociedades industrializadas, dado o ritmo acelerado, em termos histórico-comparativos, de obsolescência tecnológica. A *magnitude* do problema, porém, assim como o *insumo de tempo* necessário para a adaptação ou readaptação da força de trabalho, dependem do estoque de conhecimento acumulado durante estágios educacionais anteriores. É nesta medida que o programa citado aparece como conseqüência de pretéritas políticas sociais ineficientes.

Em adendo ao exemplo das políticas viária e de transportes urbanos como socialmente dependentes, tome-se a política de extração mineral (Carajás, por exemplo) ou a política de exportações, na medida em que esta se beneficia de uma política cambial que a estimula. O impacto sobre fluxos migratórios da primeira – aumentando pressões por serviços básicos e inflacionando o setor terciário da economia local – e a modificação no sistema de preços relativos provocada pela segunda alimentam a demanda por políticas sociais específicas *sem que se tenham criado as fontes de recursos para financiá-las.*

O problema semântico do que é política social traduz-se substantivamente na fixação de critérios que permitam delimitar o escopo das responsabilidades dos decisores na área. Para tal fim, dois instrumentos de investigação e análise são fundamentalmente necessários. O primeiro destina-se a mapear o quadro de carências existentes na sociedade e sua distribuição espacial e social, sem o qual nenhuma comparação internacional do esforço interno faz sentido.

Em outras palavras, diversos itens que constam da pauta de dispêndios sociais do governo (e que acarretam o resultado agregado de colocar o país em posição mais avançada do que países mais ricos, quando se toma esse dispêndio como percentagem do PIB) só existem justamente porque o país contraiu enorme dívida social interna. Se o orçamento social sueco ou dinamarquês não contempla a rubrica "benefícios pagos por acidente no trajeto casa-trabalho-casa" não é porque estejam aqueles países em atraso em relação ao Brasil, mas precisamente porque já não mais existe a carência social que a justifique. Parece adequado, pois, denominar o quadro de carência de *estrutura social da escassez,* conceito que permite relativizar o parâmetro econômico *escassez,* pois varia de país a país, e delimitar de maneira menos livresca e mais *policy oriented* o escopo da política social.

O outro instrumento fundamental de análise e investigação já foi mencionado. Trata-se da matriz produto-problema, constituída não apenas como resultado de políticas *prima facie* socialmente não-dependentes, mas também por inadequadas políticas estritamente sociais do passado. É a matriz produto-problema que opera sobre o mapa da estrutura social da escassez e revela quais custos embutidos no atendimento às carências podem e/ou devem ser internalizados por políticas sociais específicas e quais devem ser internalizados por outras políticas.

É evidente que a formulação e a execução de políticas sociais específicas não serão interrompidas até que se obtenha plausível avaliação da estrutura da escassez e da matriz produto-problema. Ao contrário, a delineação de ambas se efetua gradativamente à medida que políticas alternativas específicas se apresentem para escolha. Em cada caso perguntar-se-á como se posiciona o problema em foco na estrutura da escassez e na matriz produto-problema. A resposta a ambas as questões irá, simultaneamente, forjando e aplicando os instrumentos, além de circunscrever prática e teoricamente os limites da responsabilidade dos decisores em cada área.

O terceiro problema deriva da matriz produto-problema que convém, todavia, ressaltar. Trata-se da interação entre políticas, sociais ou mistas, e, particularmente, do conflito entre elas. Tome-se o problema da educação fundamental e admita-se, para efeito de argumentação, que a oferta de escolas e professores(as) é próxima do ótimo. Isto não garante que a demanda tenderá a equilibrar-se à oferta porque, abaixo de certo patamar de renda, a educação fundamental não é consumo, mas investimento. Tratando-se de investimento, o cálculo do cidadão tenderá a incorporar o custo de oportunidade de enviar a criança à escola em confronto com a diminuição do *orçamento familiar* para cuja composição a contribuição da criança ou adolescente é essencial. O aumento da população infantil ambulante, prestando serviços ou vendendo mercadorias, não decorre necessariamente, nem principalmente, da política educacional, mas da política salarial.

Outro exemplo, este de interação conflitiva. O esquema de financiamento do sistema previdenciário brasileiro é contratualista e tem por base a massa de salários. Esta política constitui estímulo à substituição de mão-de-obra por capital, dinâmica contrária à meta governamental de geração de empregos. Ao número de novos empregos que anualmente devem ser criados por conta do aumento vegetativo da PEA, acrescenta-se o número (desconhecido) daqueles que devem ser criados para absorver veteranos membros da PEA agora substituídos por capital. Nada garante, ademais, que exista perfeita capacidade de substituição no mercado de emprego e que as habilidades requeridas pelas novas posições sejam idênticas às antigas. De onde se segue adicional pressão sobre o Programa Integrado de Profissionalização de Mão-de-Obra – PIPMO. Se a estrutura da oferta de emprego não é dócil à regulação, o mesmo não ocorre com o financiamento da política previdenciária, o qual pode ser alterado sem impacto negativo aparente sobre a modernização tecnológica do sistema industrial.

Atenção para a possível interação de políticas é portanto duplamente recomendável, pois favorece a elaboração da matriz produto-problema e, eventualmente, auxilia a detectar dinâmicas contraditórias entre políticas em curso. Tal como discutido anteriormente, é impossível evitar de maneira completa a ocorrência de efeitos emergentes como resultado de qualquer política. Sempre algum *tradeoff* não muito agradável surge em alguma área. Importante, contudo, é que se disponha de instrumentos capazes de identificar os *tradeoffs* inevitáveis e avaliar tentativamente a magnitude de cada um deles. Mas aqui tocamos em dois outros problemas delicados – o de classificação e o de mensuração de políticas.

A linguagem corrente é pródiga em denominações para as diversas políticas governamentais, particularmente na área social. Assistencialismo, paternalismo, paliativos, cooptação, preempção – eis algumas delas. A literatura acadêmica também colabora para a riqueza vocabular, sugerindo as mais variadas tipologias para classificar as políticas públicas, em especial a política social. A preocupação com o esboço de uma tipologia preliminar não tem, neste texto, o objetivo filosófico de purificar a linguagem ordinária ou persuadir os especialistas quanto a sua propriedade. O aspecto relevante do problema classificatório consiste em que, embora rudimentar, uma tipologia razoável ajuda bastante no ordenamento dos *tradeoffs* referidos anteriormente. A pura identificação de escolhas trágicas inevitáveis é bastante importante. Igualmente crucial, todavia, é a necessidade de formular construtos analíticos que permitam visualizar, *no tempo*, o provável impacto que os diferentes *tradeoffs* propiciarão. A tipologia proposta a seguir, espera-se, tornará o problema mais claro.

Considere-se que as políticas sociais podem ser classificadas sob as seguintes rubricas: *preventivas, compensatórias* e *redistributivas,* em sentido estrito. Por política social *preventiva* entende-se qualquer política que impeça ou minimize a geração de um problema social grave. Por exemplo: saúde pública, saneamento básico, educação, nutrição, habitação, emprego e salário. A rubrica política *compensatória* compreende os programas sociais que remediam problemas gerados em larga medida por ineficientes políticas preventivas anteriores ou por políticas contemporâneas que são *prima facie* socialmente não-dependentes (políticas viárias, de transportes etc.) – por exemplo, sistema pevidenciário e PIPMO. Políticas *redistributivas,* finalmente, são programas que implicam efetiva transferência de renda dos patamares superiores para os patamares inferiores da estratificação social – por exemplo, Funrural e PIS/PASEP.[21]

Dispostas as políticas segundo a tipologia proposta, fica imediatamente evidente, para exemplificar, que eventual *tradeoff* entre o saneamento básico em dada região do país e a pavimentação de algumas estradas vicinais da mesma região acarretará, caso a escolha recaia na pavimentação, problemas de *médio prazo* na assistência médica à infância.

Em outro exemplo, e considerando inalterada a estrutura de financiamento do sistema previdenciário, torna-se também claro que substancial aumento no salário real produzirá, concomitantemente, melhoria nas chances de vida dos assalariados – política preventiva – e maiores recursos para o sistema previdenciário – política compensatória. Ou seja, uma só medida pode contribuir para reduzir a demanda futura por políticas compensatórias e, ao mesmo tempo, gerar recursos para aprimorar a *qualidade* dessas mesmas políticas. Ademais, ainda esse aumento do salário real pode alterar

[21] Mínima atenção à tipologia revelará que ela não é mutuamente excludente. Não conheço tipologia útil que o seja. À falta de pureza lógica, arrisco-me a propor a do texto, na expectativa de que outras melhores a venham substituir.

o custo de oportunidade da educação fundamental e aumentar a demanda futura por escolas.

Claro está que seria irrealista tentar identificar e mensurar todas as mediações ou possíveis repercussões de uma dada política. Entretanto, maior clareza sobre as implicações temporais de distintos ordenamentos de escolhas trágicas ensejaria tomadas de decisão mais coerentes e, possivelmente, a antecipação de políticas tendo em vista o horizonte de tempo considerado. Em qualquer caso, maior racionalidade de todo o processo decisório depende centralmente de eficaz mensuração dos problemas, questão abordada no tópico seguinte.

Basicamente, as informações sobre o estado social de um país, aquelas que permitem avaliar a estrutura da escassez, derivam de duas fontes distintas: indicadores numéricos e documentos legais. Os indicadores numéricos são de variados tipos e de confiança também vária: porcentagem da população urbana e rural servida por rede pública de esgotos, idade média de vida, porcentagem da população em idade escolar efetivamente freqüentando escolas, relação entre leitos hospitalares e população, fluxos monetários etc. Os cuidados a serem observados na análise desses indicadores se alteram em função da informação que se deseja obter. Por exemplo, valores médios ou *per capita* raramente propiciam adequada informação quando se trata de elaboração de políticas. A diferença entre a expectativa média de vida no Centro-Sul e no Nordeste não estima as diferenças *no interior* de uma e de outra. Objeções semelhantes multiplicam-se, mas são triviais.

Um problema de mensuração requer, no entanto, menção especial: o problema do nível de agregação da medida. Desconsiderar o nível de agregação da medida pode levar a conclusões precisamente opostas ao que está ocorrendo na realidade. Reflita-se sobre o seguinte exemplo. Um dos indicadores mais utilizados na análise de políticas consiste em fluxos monetários sob a seguinte forma: como tem evoluído o dispêndio em saúde pública como porcentagem do PIB? Pode ocorrer que a curva do dispêndio nesta rubrica exiba crescente participação percentual no total do PIB ou, mais simplificadamente, no total dos gastos em políticas sociais. A inferência imediata e trivial seria a de que estaria havendo maior cuidado com o problema da saúde no país, o que seria positivo. Se, todavia, desagregarmos o dispêndio (supondo que tal seja possível face às estatísticas disponíveis) em gastos com medicina preventiva e medicina curativa, não é impossível que obtenhamos duas curvas assimetricamente opostas: a de gastos com medicina curativa crescendo mais do que proporcionalmente ao decréscimo da anterior. No agregado, o somatório de taxas de sinal contrário produz uma curva positivamente crescente.

Exemplos similares poderiam ser construídos para outras áreas de política – a educacional vem à mente de imediato – e também para distintas regiões geográficas. O importante a reter é que, às vezes, por trás de indicadores numéricos tais como fluxos monetários, porcentagens, médias etc., estão em curso processos contrários aos que os indicadores registram na superfície.

A outra fonte relevante de informações – documentos legais de todo tipo – também não está isenta de questionamento. Desde logo impõe-se verificar se a lei está ou não sendo efetivamente posta em prática. Se está sendo executada, cabe então indagar sobre os efeitos reais de sua aplicação sem presumir, dogmaticamente, que os efeitos produzidos serão justamente os pretendidos pela lei e tão-somente estes. Em atenção a um dos postulados básicos da análise social – o de que toda intervenção na ordem social é mediatizada pela dinâmica estrutural desta –, é de se esperar que na maioria esmagadora das vezes qualquer política produza efeitos não antecipados, os quais não são necessariamente maléficos ou benéficos *ex-ante,* mas dependem justamente da estrutura de mediações sociais prevalecente.

Um exemplo ilustrará o ponto. O Fundo de Garantia por Tempo de Serviço é um programa que contempla três objetivos principais: financiar a aquisição de moradia, proporcionar ao assalariado a possibilidade de estabelecer seu próprio negócio ou, na ausência de saque pelos dois motivos precedentes, complementar a aposentadoria do assalariado. Esperava-se que saques sobre o Fundo por motivo de dispensa sem justa causa fossem excepcionais e que só remotamente o volume de saques viesse a ameaçar a viabilidade do programa. Na realidade, porém, os saques por motivo de dispensa sem justa causa sempre foram elevados, em termos absolutos e em comparação com os saques para compra de habitação, *mesmo antes de ter início o período de recessão do início dos anos 80.* Contemporaneamente, a magnitude dos saques atinge proporções bastante elevadas, exigindo mudanças na administração dos depósitos em cadernetas de poupança a fim de assegurar as operações financeiras do BNH, de onde provém a remuneração do FGTS. Mesmo admitindo-se a recuperação da economia, está demonstrado que o FGTS tem funcionado mais como contrafacção de seguro-desemprego do que como financiamento aos assalariados de baixa renda, e ainda muito mais do que como promotor do estabelecimento de negócio próprio por parte dos trabalhadores. E é pelo menos duvidoso se virá a funcionar como complemento à aposentadoria, visto que os recursos individuais não estão sendo acumulados.

Outro exemplo. Se a política de emprego, associada à de salário e à inexistência de seguro-desemprego, é responsável pela mediação maléfica que faz com que o FGTS produza efeitos perversos, deve-se creditar exclusivamente à política de salários o possível malogro do programa PIS/PASEP, independente da maior ou menor eficácia de sua administração. Os juros sobre o principal que deveriam ser somados ao último para propiciar dividendos ainda maiores e assim sucessivamente, até a aposentadoria do assalariado quando, outra vez, esta eventual poupança complementaria a aposentadoria, os juros, repita-se, são regularmente retirados pelos beneficiários como *complemento ao salário atual.* A deterioração do valor real do principal fará com que, na eventualidade da aposentadoria, o que couber ao assalariado não lhe servirá para praticamente nada.

Embora coubesse tratar esse aspecto como tópico dos problemas de aferição do real impacto de políticas sociais, considerei mais conveniente abordá-lo como um problema de mensuração pois, em matéria de lei, não há como efetivamente "medir" a política nela codificada senão averiguando se foi ou não executada e se cumpriu ou não seus objetivos explícitos. De todo modo, fica esclarecida a importância do problema da mensuração na agenda de questões relativas à política social.

Uma outra ordem de problemas, a sexta, diz respeito à questão do financiamento das políticas sociais. Quem paga, o quê, para quem? – eis a questão crucial. Recordando o constrangimento analítico que afirma ser impossível a aplicação uniforme de um só critério de decisão a todos os problemas, deduz-se logicamente que a resposta à pergunta acima há de variar em função do *tipo* de política a ser executada. É também nesta conexão que a tipologia sugerida, ou qualquer outra que seja razoável, revela sua importância.

Se considerarmos as políticas de natureza preventiva – por exemplo, saúde pública, saneamento ou nutrição –, parece eqüitativo que todos contribuam para seu financiamento indireto, via sistema tributário, ainda quando o consumo da maior parte desses bens seja gratuito. O caso das políticas compensatórias é mais complexo porque envolve um conjunto heterogêneo de programas – previdência e treinamento de mão-de-obra, por exemplo –, exigindo, em conseqüência, soluções distintas, a depender do problema específico. Salta entretanto à vista que não é eqüitativo distribuir os custos dos benefícios pagos por acidente no trajeto casa-trabalho-casa entre o empregador, o Estado *e o próprio acidentado!* Finalmente, as políticas explicitamente redistributivas implicam, por definição, transferência de renda, e pelo menos algo é absolutamente certo: não são os beneficiários delas que as devem financiar.

O problema do financiamento de políticas sociais não comporta soluções simplistas, nem aquelas ditadas exclusivamente por bons sentimentos. Como já se mencionou, por trás do conjunto de políticas sociais existe, mesmo se inconsciente, um ordenamento entre escolhas trágicas. Se, por exemplo, é indicado financiar políticas sociais preventivas em prejuízo do ritmo de crescimento econômico ou, pelo contrário, maximizar as oportunidades de crescimento, no suposto de que os gastos futuros com políticas compensatórias serão consideravelmente inferiores aos ganhos do crescimento obtido, estas são questões que dependem tanto do estoque de conhecimento que permita proceder, ainda que de modo aproximativo, a cálculos tão delicados, como da agenda de prioridades da própria sociedade.

A penúltima ordem de problemas é de decisiva importância. Nenhum conjunto de políticas sociais, por mais justas, coerentes, tecnicamente bem-formuladas e socialmente avalizadas que sejam, terá sucesso se houver pontos de estrangulamento na etapa de sua implementação. A etapa de implementação pode ser responsável pelo fracasso de qualquer política, não apenas da política social. E a implementação arrisca-se a claudicar em razão de dois fatores distintos, mas potencialmente associáveis.

O primeiro fator consiste na eventual inexistência de recursos humanos para bem executar a política em questão. É inútil, por exemplo, triplicar ou quadruplicar o número de postos de saúde se não se promove simultaneamente a formação de enfermeiras, auxiliares técnicos (operadores de raios X, laboratoristas etc.) e pessoal administrativo. Esta foi a tendência observada entre 1967 e 1975 quando, de uma disponibilidade de 1/2 enfermeira por posto de saúde, regrediu para 1/4 de enfermeira por posto, no Brasil como um todo. Concomitantemente, o número de guardas por posto cresceu. Seria conspiratório demais presumir que tal processo foi deliberado, mas há com certeza uma "racionalidade" na lógica das circunstâncias que conduziu a esse resultado.

O segundo fator capaz de abortar uma política em sua fase de implementação consiste na *atitude* do pessoal, administrativo ou técnico-especializado, em relação à política, ao grupo alvo da política, ou em relação a ambos. A sabotagem burocrática e a displicência técnica na execução de determinadas políticas são fenômenos recorrentes em todos os países em que existem políticas sociais significativas.

O nexo causal que explica a disposição favorável ou desfavorável dos implementadores da política é múltiplo. Em alguns casos, trata-se de reação do grupo social a que pertence a burocracia contra o grupo social beneficiário da política – por exemplo, os programas de integração racial ou de *food stamps* no sul dos Estados Unidos. Em outros, trata-se de incúria do pessoal técnico-especializado quando existe uma espécie de monopólio bilateral em que são parceiros o governo, que promove o programa, e o pessoal incumbido de implementá-lo. Tal parece ser a razão da decadência do sistema de assistência médica inglesa.

No que se refere a exemplos nacionais contemporâneos, é suficiente atentar para as resistências contrapostas a diversas medidas do programa de desburocratização – como instância do primeiro tipo de obstáculo à implementação – e para os próprios serviços previdenciários, como instância do segundo tipo de obstáculo à implementação. A moral, por assim dizer, a tirar da história é que qualquer política social deve, sempre que possível, proporcionar incentivos seletivos àqueles que a irão executar. Tais incentivos não precisam ser necessariamente pecuniários, embora não seja de todo má a idéia de introduzir competitividade no desempenho dos executores do programa mediante o estabelecimento de prêmios, por exemplo, desde que os custos de monitoramento e fiscalização não sobrecarreguem financeiramente o programa de forma desproporcional (lembrar que a vinculação do salário a desempenho individualizado, nos primórdios da revolução capitalista, impunha elevados custos de transação relativos a monitoramento e fiscalização).

A última ordem de problemas refere-se à avaliação da eficácia de políticas sociais específicas. É extremamente difícil saber se o decréscimo na taxa de mortalidade infantil em determinada região ocorreu devido ao programa de saneamento ali levado a cabo ou se por conta da vacinação em massa ali também executada, ou atribuir o quanto se deve a cada uma delas. O mesmo raciocínio vale para a relação múltipla e complexa entre salário, renda familiar, custo de oportunidade e oferta de educação gratuita. E é difícil porque o teste crucial para elucidar a questão envolve um enunciado contrafactual – o que teria ocorrido a *y* caso não houvesse *x*, sendo que *x* existe – e, por definição, enunciados contrafactuais são infalsificáveis.

Nem por ser difícil, entretanto, deve-se evitar a tentativa de aferir a eficácia de um programa. Se há pobreza de testes "objetivos" confiáveis, as investigações sobre preferências e atitudes tipo painel, isto é, antes e depois de executada uma política específica, podem servir como ponto de referência razoável para a correção de cursos de ação ou, eventualmente, sua completa interrupção.

A agenda de questões implícita na elaboração e execução de políticas sociais é suficientemente ampla e variada para estimular, antes que desencorajar, os especialistas, os decisores e os potenciais beneficiários. A experimentação responsável, formulando programas novos, estimulando a criatividade, aperfeiçoando instrumentos de análise, redesenhando formatos organizacionais, pode compensar a precariedade do conhecimento e as rotinas de comportamento.

Não há como evitar a fatalidade de ordenar escolhas trágicas na ausência de infalível princípio de justiça e diante dos resultados imprevisíveis produzidos pela mão invisível do caos. Face Édipo da vida social. Nem como fugir ao imperativo de tentá-lo. Sísifo.

ABORDAGENS TEÓRICAS AO ESTUDO DAS POLÍTICAS SOCIAIS

Marcos Antônio Coimbra

I. APRESENTAÇÃO E OBJETIVOS

Todos nós que no Brasil trabalhamos com as políticas sociais, quer seja em sua prática ou nas atividades de ensino, pesquisa e aprendizagem a respeito delas, provavelmente já nos defrontamos com diversos problemas de acesso a livros e estudos sobre o assunto. Às vezes, constatamos uma completa ausência de obras que possam nos servir de referência. Outras vezes, somente conseguimos localizar um ou outro estudo isolado, que raramente é compreensível sozinho.

Perante tal carência bibliográfica, muitos somos levados a imaginar que a situação brasileira é universal, no mundo inteiro inexistindo uma tradição de estudos sistemáticos sobre as políticas sociais. É como se dissésemos que não seria no Brasil apenas que a carência apontada ocorreria, mas, ao contrário, que ela poderia ser considerada típica desse campo de conhecimento em si mesmo, pouco estudado em geral.

Isto não é, porém, verdade e, embora possa parecer estranho aos leitores de língua portuguesa, existe hoje no mundo uma impressionante quantidade de obras dedicadas ao estudo das políticas sociais. Escrita especialmente em inglês, francês e alemão, mas também em outras línguas européias, está atualmente disponível uma vasta bibliografia sobre a política social, sua história, seus problemas e suas perspectivas. Raramente são obras muito antigas, pois foram quase todas elaboradas nos últimos trinta anos. Nem todas são igualmente relevantes, havendo muitas já esquecidas ou então caminhando celeremente para um merecido esquecimento. É, no entanto, uma quantidade muito grande de obras que encontramos.

Esse vasto conjunto de trabalhos pode ser organizado de várias maneiras. Poderíamos, por exemplo, separá-los em estudos de caso nacionais e trabalhos comparativos, em ensaios mais abstratos e em esforços de reflexão voltados para a resposta de questões práticas imediatas. Alguns se dedicam ao estudo de uma só política, enquanto que outros tratam da experiência inteira de um país com as políticas sociais. Estudos financeiros, administrativos, jurídicos e históricos, entre outros, podem ser localizados para praticamente qualquer tipo de programa social.

Como podemos imaginar, nem todos esses trabalhos são iguais do ponto de vista dos marcos teóricos que adotam para o desenvolvimento de suas análises e interpretações. Ao contrário, existem atualmente diversos modelos teóricos sendo empregados no estudo das políticas sociais, o que torna possível organizar a literatura existente agrupando os estudos disponíveis em torno deles.

Com essa intenção, encontramos hoje em dia alguns trabalhos interessantes, como os de Ramesh Mishra e Ian Gough, dos quais faremos largo uso no correr de nossa argumentação. Em ambos, os autores indicam os principais modelos teóricos empregados no estudo das políticas sociais, chamando a atenção para os pressupostos filosóficos e normativos de cada um e apontando para as conseqüências que advêm da adoção de determinado modelo para o trabalho empírico e analítico (Mishra, 1981 e Gough, 1978).

Este nosso texto está filiado a essa tradição de estudos. Ele pretende familiarizar os leitores com as principais teorias sobre a política social disponíveis atualmente na literatura internacional, ainda que seu objetivo seja fazê-lo apenas de maneira introdutória. Vamos apresentar uma visão resumida de cada uma, procurar assinalar os autores e grupos de autores mais destacados em cada qual e fornecer algumas indicações de leitura adicional, a fim de que os interessados possam aprofundar-se mais tarde. Para cada um dos modelos teóricos que discutiremos, procuraremos ser também avaliativos, caracterizando tanto as vantagens, quanto as desvantagens. Isto, como é óbvio, não pode deixar de ser opiniativo, mas esperamos que os leitores saberão julgar por si sós quanto ao acerto das avaliações que fizermos.

Antes de passar à apresentação de nossos argumentos, vale a pena retornar a uma idéia já sugerida e que precisa ser esclarecida para evitar suposições equivocadas. Trata-se da afirmativa de que uma imensa bibliografia sobre as políticas sociais existe hoje no mundo, o que é verdade, mas que não deve nem conduzir à suposição de que tudo esteja já estudado, nem levar à tese de que podemos nos considerar dispensados de avançar na reflexão teórica e no estudo empírico das políticas sociais. De um lado, não devemos fazer isto, porque, embora muita coisa esteja efetivamente estudada, há ainda temas quase que inteiramente ignorados ou então muito mal considerados na literatura disponível. Apenas para exemplificar, é o que acontece com o estudo das políticas sociais nos países do Terceiro Mundo, que a bibliografia internacional somente nos anos recentes começou timidamente a tratar. De outro lado, porque, conforme mostraremos mais adiante, todos os modelos teóricos hoje disponíveis padecem de problemas, que precisam ser resolvidos antes de que possamos nos dar por satisfeitos com qualquer um.

É por estas razões que o texto a seguir não deve ser visto como uma apresentação de modelos teóricos prontos e acabados, face aos quais nada nos cabe fazer além de adotar a um ou outro e recusar os demais. Especialmente, não devemos ler as críticas a determinados modelos como se aconselhassem a preferência passiva por algum em especial. Todos são problemáticos, o que pode nos privar da segurança que um modelo definitivo fornece, mas é o que nos dá a liberdade e o dever de pensar e exercitar nosso intelecto.

Iniciamos por uma breve introdução, com a apresentação dos modelos teóricos a serem discutidos. A partir daí, vamos considerar cada um em separado, apresentando-os, avaliando-os e ilustrando-os com excertos de obras deles representativas. Na conclusão, procuraremos fazer um balanço mais geral, tentando daí extrair algumas sugestões para avançar no estudo teórico da política social. O texto termina com uma bibliografia, na qual se indicam as obras de leitura mais indispensável e as de consulta recomendada apenas para estudos de maior profundidade.

II. OS MODELOS TEÓRICOS NA LITERATURA A RESPEITO DA POLÍTICA SOCIAL

Quando estudam as políticas sociais, os cientistas sociais podem adotar perspectivas teóricas muito diferentes. No limite, em cada autor e em cada obra existem tratamentos teóricos peculiares, no sentido de não exatamente iguais a quaisquer outros, pois variam as ênfases conceituais e as maneiras de considerar a evidência empírica que cada qual realiza.

Não é, contudo, destas diferenças puramente individuais que trataremos. Para nossos efeitos, mais interessante é organizar a literatura existente em termos de conjuntos maiores de autores e obras, que podemos estabelecer em função de suas grandes concordâncias e convergências teóricas. Nosso objetivo, portanto, é discutir aquilo que poderíamos chamar "abordagens" ou "pontos de vista", compartilhados por diversos cientistas sociais, até certo ponto independentemente de suas profissões. Assim, embora existam e sejam relevantes as distinções entre as perspectivas típicas, por exemplo, de sociólogos, economistas, profissionais de serviço social, cientistas políticos e antropólogos, o que nos interessa são algumas diferenças que antecedem as peculiaridades de cada categoria profissional, situando-se mais propriamente no campo teórico.

Muitos trabalhos recentes têm procurado organizar de maneira semelhante a bibliografia disponível, sugerindo diferentes tipologias ao longo das quais podemos classificar a produção intelectual a respeito das políticas sociais. Nem todos, porém, concordam quanto aos critérios adotados na montagem das tipologias. Para facilitar nosso próprio trabalho, convém analisá-los rapidamente.

Três desses estudos sugerem tipologias onde autores e obras se agrupam em termos das orientações normativas que compartilham. Podemos, por isto, tratá-las como *tipologias axiológicas,* dado que seu elemento de construção é caracteristicamente valorativo.

Vic George e Paul Wilding, por exemplo, propõem organizar os autores que tratam das políticas sociais em quatro grandes grupos: os *anticoletivistas,* os *coletivistas relutantes,* os *socialistas fabianos* (ou reformistas) e os *socialistas marxistas*. No primeiro grupo, teríamos aqueles que se opõem frontalmente a qualquer intervenção estatal, como os neoliberais conservadores de nossos dias. No segundo, os autores "que se digladiam entre uma atitude de suspeita perante a autoridade centralizada e o reconhecimento da necessidade do planejamento econômico e das reformas sociais", como Beveridge, Keynes e Galbraith. Os demais grupos, como seus nomes indicam, concordam quanto à desejabilidade da intervenção estatal e do coletivismo, diferindo nas estratégias que advogam para alcançar o socialismo (George e Wilding, 1976).

Podemos ver que, no fundo, George e Wilding propõem apenas dois grandes grupos mais definidos, os *anticoletivistas* e os *coletivistas,* cabendo falar em um terceiro (o dos "coletivistas relutantes") que pouco mais é que transicional. Não resta dúvidas que é uma distinção importante, pois chama atenção para um elemento diferenciador de grande significado: de um lado, fica o pensamento essencialmente individualista, que implica práticas muito diferentes das que o segundo, o pensamento coletivista, tende a recomendar. Caracteristicamente, o primeiro defende uma política social reduzida e essencialmente residual, enquanto que o segundo se bate pela ampliação e universalização dos instrumentos de política social.

Embora relevante, a sugestão de George e Wilding pode ser criticada de muitas maneiras. Como dizem Peter Taylor-Gooby e Jennifer Dale, em outro estudo que propõe uma tipologia axiológica da literatura, podem-se-lhe fazer reparos tanto de detalhe, quanto de método. De detalhe: a inclusão de autores como Beveridge e Keynes no rol dos "relutantes" parece pouco justificada, baseando-se apenas no fato de ambos não terem sido defensores ferrenhos do processo de nacionalizações em curso na Inglaterra do pós-guerra. De método: George e Wilding tratam quase que como acidental a relação entre valores e teorias, como se entre elas não houvesse conexões mais profundas (Taylor-Gooby Dale, 1981, pp. 57-58).

Podemos concordar com as objeções levantadas por Taylor Gooby e Dale, mas dificilmente podemos considerar a tipologia que eles próprios sugerem como plenamente satisfatória. Ao contrário, ela mais aumenta que resolve os problemas indicados.

Taylor-Gooby e Dale propõem uma tipologia onde três grupos de autores se alinham de acordo com o que os autores chamam "teorias normativas" da política social: o *individualismo*, o *reformismo* e o *estruturalismo.* Vale notar que estamos perante uma tipologia cujos tipos são definidos a partir de critérios muito pouco homogêneos. Assim, pode fazer sentido considerar o "individualismo" e o "reformismo" como orientações normativas, mas o "estruturalismo" nada tem, por si só, de normatividade (idem, caps. 3 e 4).

Um segundo problema se localiza na maneira como os autores tratam a constituição interna dos grupos mencionados. Dos três, apenas o primeiro é simples e homogêneo, nele cabendo os autores estritamente identificados com o credo individualista dos liberais ortodoxos, como Friedman e Hayek. Os demais, ao contrário, são extremamente heterogêneos e fracionados, com múltiplas subcategorias e subgrupos.

No estudo da política social, seriam "reformistas", para Taylor-Gooby e Dale, tanto os *intervencionistas relutantes* (como Keynes e Beveridge), quanto os *consensualistas* (como Tawney e Titmuss) e os *socialistas revisionistas* (como Crossland e Donnison), restando, ao final, um subgrupo de um só autor, John K. Galbraith, com sua "nova economia política crítica". Como se pode ver, a pulverização chega ao ponto de tratar a obra de um autor singular como se formasse um subtipo próprio e independente. A dúvida que fica é saber por que somente Galbraith merece a honraria, pois é evidente que nenhum autor é inteiramente idêntico a qualquer outro (idem, p. 70).

A mistura e a heterogeneidade do grupo dos "reformistas" só é ampliada quando chegamos aos "estruturalistas". Ao tratá-los, Taylor-Gooby e Dale realizam a proeza de conciliar abordagens em tudo diferentes, apenas para que percebamos o quão irrelevante é o denominador comum que apontam para agregá-los.

Seriam "estruturalistas", para os autores, as seguintes três abordagens da política social: o *materialismo histórico marxista*, o *estrutural-funcionalismo* e a *teoria da convergência societária*. Pouco precisamos dizer para identificar a primeira, sendo a segunda típica da obra de autores como Parsons e a terceira se caracterizando pela compreensão da política social como um elemento indissociável e inevitável da industrialização, transcendendo, portanto, as determinações do capitalismo e do socialismo. Exemplos de autores filiados a esta terceira perspectiva seriam Wilensky e Lebeaux.

O elemento compartilhado por essas abordagens, nas palavras dos autores, é que elas "entendem a sociedade como um todo integrado", truísmo que em nada ajuda a perceber o que há de mais relevante no caso. Trata-se do fato de que, embora até se possa dizer que o marxismo, o funcionalismo e a teoria da convergência estejam de acordo nesse ponto, elas são abordagens profundamente diferentes, em termos teóricos, metodológicos e nas prescrições para a prática que realizam. Assim, não apenas este terceiro tipo da tipologia sugerida é contraditório com a lógica que preside à criação dos outros, como sua identidade interna é altamente questionável.

Uma terceira tipologia "axiológica" do pensamento a respeito das políticas sociais foi sugerida em 1979 por Robert Pinker, ele mesmo um autor que, em que pese sua importância, dificilmente se encaixaria em qualquer um dos tipos de George e Wilding e de Taylor-Gooby e Dale. Formulando mais exatamente os critérios para estabelecimento de sua série de tipos, Pinker afirma que existem "três supostos normativos principais subjacentes às diversas teorias que procuram explicar e avaliar a relação entre ordem social, mudança social e bem-estar social (*social welfare*)". Em função delas, o autor aponta para três modelos teóricos usados no estudo das políticas sociais: *a teoria econômica clássica, o marxismo, com suas derivações socialistas* e o que ele chama *"tradição do coletivismo mercantil"* (Pinker, 1979, p. 233).

Mais uma vez podemos nos dispensar de explicar os dois primeiros modelos, mas vale a pena lembrar duas coisas. De um lado, que a teoria econômica clássica é a grande matriz para aquilo que George e Wilding designam como "anticoletivismo" e que Taylor-Gooby e Dale nomeiam como "individualismo". De outro, que a acepção ampliada que Pinker tem do marxismo ("com suas derivações...") o torna igual ao pensamento "coletivista" dos primeiros e à variante marxista do "estruturalismo" dos segundos.

Nos termos de Pinker, a "tradição do coletivismo mercantil" seria a principal origem para o que foi chamado "coletivismo relutante" e "reformismo". Para ele, tal tradição se situaria em um terreno intermediário entre os dois grandes pensamentos de nossa época, o liberalismo e o marxismo. Do primeiro, ela se separaria por rejeitar a possibilidade da harmonização automática entre bem-estar e mercado econômico, descrendo de que este seja capaz de, sozinho, promover aquele. Do marxismo, o coletivismo mercantil também se distanciaria, por não acreditar na inevitabilidade de um conflito que reconciliaria a economia e o bem-estar através da substituição do capitalismo pelo socialismo. Segundo as palavras de Pinker, nesta tradição se presume que "os ideais de bem-estar se realizam melhor em uma sociedade que não seja nem capitalista, nem socialista", mas sim em algo que podemos chamar de "terceira via" (idem, p. 237).

Movendo-se a partir daí para um plano de análise mais teórica que axiológica, Pinker sugere que a "tradição coletivista" toma atualmente corpo em dois modelos teóricos diferentes de estudo da política social: as *teorias pluralistas* do sistema político, expostas, entre outros, por Dahl e Lindblon e o *pensamento profissional do serviço social,* pelo menos tal como aparece na obra de alguns importantes autores dessa extração, como Titmuss e ele próprio.

Não por acaso, estes seriam os modelos que mais atenção dedicam e que mais têm a dizer a respeito da política social. A própria idéia de "coletivismo mercantil" contém dentro de si um paradoxo, o de um mercado solidário e coletivista, cuja solução em parte depende da política social, à qual fica incumbida a missão de conciliar o jogo do mercado com o bem-estar dos cidadãos. Dada esta importância, não é surpresa que os defensores de tal coletivismo se preocupem mais com a política social do que os liberais (que imaginam que ela é prejudicial), ou que os marxistas (que normalmente a vêm apenas como fenômeno transitório de uma ordem social condenada).

Em estreita analogia com a análise de Pinker, Graham Room, em uma obra publicada no mesmo ano de 1979, indicaria uma tipologia muito semelhante, só que com seus tipos definidos a partir de uma dimensão que podemos designar como essencialmente política e não propriamente axiológica. Para ele, existiriam atualmente três grandes interpretações da política social: a *marxista*, a *liberal* e a *social-democrata* (Room, 1979, cap. 3).

A correspondência entre estes três últimos tipos e os modelos apontados por Pinker não é perfeita, mas é sugestiva. Assim, o que chamamos, de acordo com ele, "coletivismo mercantil", com a importância que confere à política social, pode ser agora visto como constituindo o tipo político "social-democrata" indicado por Room. Por extensão, ao modelo inspirado na economia política clássica corresponderá o tipo "liberal". No caso do marxismo, são inteiramente óbvios os paralelismos entre uma e outra classificação.

O problema na tipologia de Room é que ela força a identificação política de formas de pensamento que não necessariamente se constituem dessa maneira. Isto pode levar a que, mais uma vez, sejamos induzidos a tratar sob a mesma rubrica formas de conhecer e interpretar a política social substantivamente diferentes, tal como vimos que acontecia com a categoria "estruturalismo" nas mãos de Taylor-Gooby e Dale. Para ilustrar: o tipo "liberal" de Room termina por ser a única opção de classificação com que ficamos, quando nos defrontamos com autores que não são nem explicitamente marxistas, nem social-democratas. É verdade que ele admite dois subgrupos entre os "liberais" (os "de mercado" e os "politicamente liberais"), mas isto não resolve a questão (idem, pp. 48-49).

Vistas, assim, estas quatro possibilidades de organização das obras que tratam da política social com base em critérios axiológicos e políticos, verificamos que há muita discordância de detalhe, mas também existem algumas concordâncias mais gerais. A primeira e mais óbvia é que todos os autores estão de acordo quanto à existência de diversos tipos de pensamento a respeito da política social. A segunda é que todos reconhecem dois tipos polares, um genericamente chamado "individualismo" ou "liberalismo", claramente derivado da teoria econômica clássica, e outro que podemos designar "coletivista" ou "socialista", umbelicalmente ligado ao pensamento de Marx.

A terceira concordância entre os autores é de que existe também um pensamento intermediário (ou mais de um), diferente de qualquer dos anteriores. O dissenso entre eles está na caracterização mais precisa deste pensamento, talvez porque ele não seja mesmo dotado de uma só identidade. Assim, nesta zona intermediária, cabem social-democratas, reformistas e coletivistas relutantes, inspirados tanto em teorias consensualistas, quanto nas "tradições do coletivismo mercantil" e no estrutural-funcionalismo.

Podemos passar agora aos dois textos que mencionamos atrás, os de Mishra e de Gough, onde vamos encontrar tentativas de organização da literatura sobre as políticas sociais a partir das abordagens teóricas que adotam. Dessa discussão, vamos retirar o conjunto de modelos que analisaremos em maior detalhe na seção seguinte.

Escrevendo em 1978, Gough afirmou que existiam três grupos de teorias sobre a política social: as *teorias funcionalistas,* as *teorias econômicas sobre políticas governamentais* e as *teorias pluralistas da tomada de decisão.* No seu entender, cada uma delas derivaria de uma disciplina em particular, respectivamente a sociologia, a economia e a ciência política (Gough, 1978).

No primeiro grupo, Gough localiza, sem que consiga demonstrar por quê, tanto as explicações sobre a política social com base no conceito de cidadania, quanto as explicações "tecnológicas" (as que Taylor-Gooby e Dale designavam como "teoria da convergência"). O segundo grupo consistiria das diversas aplicações da teoria econômica do bem-estar (*welfare economics*) e dos estudos macroeconômicos sobre gastos públicos, assim como da obra de "liberais" como Friedman. O terceiro, finalmente, incluiria o que ele chama "estudos de caso" sobre políticas públicas na área social, exemplificados principalmente pela obra de Hall *et al.,* à qual retornaremos.

Para Gough, as teorias funcionalistas se caracterizariam por uma tendência a "objetivar os processos sociais e a ver as políticas sociais como *respostas passivas a pressões estruturais, sociais ou não*", neste último caso pensando nas explicações tecnológicas deterministas, segundo as quais as políticas sociais seriam "exigências" da industrialização. Por isto, perdem elas, em sua opinião, a possibilidade de captar a especificidade capitalista da industrialização moderna e também a possibilidade de perceber o que seria a funcionalidade da política social para o próprio capitalismo (Gough, 1979, p. 23).

Segundo Gough, os dois grupos seguintes poderiam ser agregados em uma única categoria maior, e isto por três motivos. Em primeiro lugar, porque ambos possuiriam um ancestral comum na teoria econômica e política liberal clássica. Em segundo, os dois empregariam uma metodologia essencialmente igual, a individualista, que vê os indivíduos (e não as classes sociais) como as unidades básicas da sociedade e que os estuda em seus comportamentos e atitudes. Em terceiro, ambos adotariam a perspectiva da "teoria da ação", desenvolvendo suas análises em termos das interpretações que os sujeitos humanos fazem da realidade a partir de seus valores. Neste sentido, eles tenderiam a "subjetivar" a história, enquanto que as teorias funcionalistas a "objetivariam" (idem, p. 24).

A primeira objeção que se pode levantar contra estas idéias de Gough decorre da ligeireza com que ele agrupa os estudos baseados na noção da cidadania com o trabalho dos teóricos da "convergência", dando a esse amálgama o nome de "funcionalismo". Não só existem, como veremos, diferenças muito importantes entre eles, como o próprio termo funcionalismo fica mais bem empregado se o utilizarmos para identificar uma perspectiva específica, que não se confunde nem com a tese da cidadania, nem com a "teoria da convergência".

A segunda crítica vem do fato de que a classificação sugerida por Gough deixa de fora uma imensa quantidade de obras, as que não se encaixam em nenhum dos três (ou dois) tipos descritos por ele. Ao que parece, ele mesmo tomaria consciência disso, pois, em obra posterior, se referiria a uma quarta (ou terceira) abordagem da política social.

Esta seria, em suas palavras, uma perspectiva "mais empírica, eclética e multidisciplinar", característica dos profissionais do serviço social. Para Gough, ela teria surgido em resposta aos problemas anteriores, especialmente na obra de autores preocupados com a aplicabilidade de suas análises. Referindo-se a Titmuss, o principal representante desta perspectiva na opinião de Gough, seria uma abordagem que inclui aspectos de todas as outras, "justapondo-as (...) de maneira assistemática, sem que uma síntese teórica emerja" (idem, p. 25).

E o marxismo? Como vimos, Gough não o discute ao mencionar seus três (ou dois) tipos básicos. Também não o acrescenta nos moldes do que faz com a abordagem do serviço social. Mas ele se refere ao marxismo como uma abordagem que viria a resolver os problemas das demais, servindo de solução para suas imprecisões e lacunas. Só que, no entender de Gough, uma abordagem marxista à política social ainda tinha de ser formulada. O trabalho dele próprio seria um desses começos.

A única desculpa para tal afirmativa é que, na altura em que escrevia, o grande surto de investigações marxistas sobre a política social somente começava, como veremos mais adiante. Mas havia já uma abundante produção de obras inspiradas no marxismo tratando da política social, mesmo se criticáveis. Além delas, a obra do próprio Marx estava disponível há mais de um século, nela existindo uma preocupação nem que fosse menor com a temática da política social.

Por estas razões, vemos que Gough terminava por considerar *cinco* e não três abordagens ao estudo da política social: o *funcionalismo,* as *teorias econômicas,* o *pluralismo,* a *perspectiva do serviço social* e o *marxismo.* Trata-se de uma classificação razoavelmente satisfatória, salvo o problema mencionado na acepção que Gough tinha do funcionalismo.

Corrigindo exatamente esta questão, mas incorrendo em outras, vamos encontrar o trabalho de Mishra, aquele em que mais nos basearemos na próxima seção. Mishra também organiza a literatura existente em cinco grandes "pontos de vista" teóricos, mas chega a eles tratando de forma mais adequada o amálgama que Gough fazia com sua idéia de "funcionalismo". Para Mishra, estas seriam as perspectivas a considerar: *a teoria da cidadania*, a *teoria da convergência*, o *funcionalismo*, o *marxismo* e a *abordagem do serviço social* (Mishra, 1981).

Como se pode perceber, resolve-se com isto o problema de serem efetivamente distintas as três primeiras. Ficamos, contudo, com outro, pois Mishra nada diz das *teorias econômicas* e do *pluralismo*, que Gough, com razão, identificava como pontos de vista relevantes e não englobados nos outros.

Em certa medida, pode-se dizer que Mishra estava protegido dessa crítica, pois em momento algum pretendia que sua tipologia fosse exaustiva. Ao contrário, ele era cauteloso ao afirmar que sua obra queria somente examinar "cinco desses pontos de vista ou perspectivas principais (sobre a política social)", nada dizendo sobre outras possíveis abordagens (idem, p. IX).

Isto, porém, não é a solução do problema. Se realmente queremos discutir as abordagens teóricas atualmente empregadas no estudo da política social, não apenas nos cabe listar *todas* as mais importantes, mas também devemos hierarquizá-las, identificando as que são efetivamente mais adotadas.

Tentando, então, chegar a uma tipologia mais adequada, vamos fundir as sugestões de Gough e Mishra, tendo como pano de fundo as discussões dos outros autores mencionados. Assim procedendo, obteremos uma série de sete abordagens diferentes, organizadas em dois subgrupos. No primeiro, teríamos as três mais difundidas. No segundo, as quatro restantes, de uso limitado a grupos mais reduzidos de autores. As primeiras analisaremos com mais cuidado à frente, dedicando às outras menor atenção.

É a seguinte a relação que propomos:

A "perspectiva do serviço social"
A "teoria da cidadania"
O marxismo
O "funcionalismo"
A "teoria da convergência"
O "pluralismo"
As "teorias econômicas da política social".

Antes de passar à apresentação de cada uma, dois lembretes são necessários. Em primeiro lugar, que vamos considerar as *características mais gerais das diferentes abordagens e não os autores individuais*. Assim, quando afirmarmos que um autor qualquer adota determinada abordagem, não estaremos dizendo que sua obra é exatamente igual à daqueles outros que também a empregam. Cada um, forçosamente, tem suas peculiaridades.

Em segundo lugar, valendo para a primeira abordagem, a "perspectiva do serviço social", queremos deixar claro que não adotaremos, para com os profissionais do serviço social, aquilo que consideramos inadequado para economistas, cientistas políticos, sociólogos etc. Assim, afirmar que existe uma tal "perspectiva", não quer dizer supor que *todos* os profissionais de serviço social comungam de um único ponto de vista teórico. Ao contrário, é possível que existam profissionais dessa formação adotando praticamente qualquer uma das outras abordagens. Essa "perspectiva", como mostraremos, é típica apenas de *alguns* desses profissionais.

III. SETE ABORDAGENS AO ESTUDO DAS POLÍTICAS SOCIAIS

A "PERSPECTIVA DO SERVIÇO SOCIAL"

Esta abordagem é a mais tradicional e mais antiga no estudo das políticas sociais. Mais tradicional, porque é a que menos mudou desde quando foi formulada inicialmente, mantendo-se com notável persistência através dos anos. Mais antiga, porque, feita exceção de alguns escritos esparsos de autores do século XIX, como Marx e os economistas clássicos, foi a que em primeiro lugar se dedicou a considerar sistematicamente as políticas sociais.

Nenhuma dessas afirmações deve ser tomada como perfeitamente rigorosa, no entanto. De um lado, porque, se é verdade que a perspectiva do serviço social é a mais estável, nem por isto ela deixou de passar por transformações, até importantes, em sua trajetória. De outro, porque, apesar de haver aparecido ainda no último quartel do século passado, ela nunca se constituiu, a bem dizer, em um corpo teórico explícito e articulado.

Ao contrário, talvez a mais relevante característica desta abordagem *seja sua vocação para o empírico e o pragmático.* Como diz Mishra, podemos entendê-la como *"o estudo sistemático dos problemas sociais singulares e de suas soluções por reformas localizadas"* (Mishra, 1981, p. 3). Trata-se, portanto, de uma abordagem essencialmente reformista, orientada para a prática e raramente preocupada com a teorização e a especulação.

A indiferença desta perspectiva para com a teoria, que muitas vezes chega à hostilidade, deriva, em parte, de suas origens históricas. Surgido inicialmente na Inglaterra e nos Estados Unidos, o serviço social foi uma reação contra a teoria liberal ortodoxa e extremada dos meados do século XIX, que propunha deixar à própria sorte todos aqueles que não conseguissem, sozinhos, vencer no mercado competitivo. Face a tais "teorizações", os primeiros profissionais dessa formação se insurgiram, denunciando os males sociais e convocando a sociedade para corrigi-los. Para essa missão, acumular evidência sobre os problemas era mais importante que explicá-los, agir mais premente que entender, solucionar mais necessário que "teorizar".

Autores ingleses como Booth e Rowntree, bem como os Webb no início de suas carreiras, são exemplos adequados dessas atitudes. Nos Estados Unidos, o processo de nascimento foi algo diferente, pois o serviço social emergiu principalmente no interior das empresas industriais, integrando e administrando as diversas iniciativas daquilo que podemos chamar "welfarismo empresarial" (*welfare capitalism*). Nos dois lugares, porém, constatamos um mesmo momento inicial de aversão às teorias e de preferência pelos "fatos".

Seria equivocado, contudo, atribuir a essas circunstâncias de nascimento a continuada indiferença da perspectiva do serviço social para com a teorização. Antes, devemos buscar as razões para isto na maneira mesma em que formula seu objeto e seus métodos de trabalho.

Dito de forma simplificada, a idéia nuclear desta perspectiva é a de "*melhoria social*" e não a preocupação com o estabelecimento de um corpo de conhecimento sobre as determinações dos problemas sociais. Para ela, a questão é *prática,* sendo seus representantes movidos mais pelo desejo de mudar (ou, talvez melhor, de "consertar" e "remendar") o mundo, do que de entendê-lo. Nisto, como lembra Mishra, ela se assemelha ao marxismo, mas, onde este vê a necessidade de transformações "de atacado" na sociedade, esta tende mais a identificar a possibilidade de reformas "de varejo". Se o marxismo é a engenharia da ruptura radical, o serviço social seria o tratamento em doses homeopáticas dos males da sociedade (ver Mishra, 1981, p. 5).

Dada esta preocupação central com a idéia de "melhoria", podemos deduzir, como Mishra faz, que a ênfase da perspectiva será posta sempre no estudo de situações locais e no máximo nacionais, pouca atenção restando para ensaios generalizantes e comparativos. Para poder instrumentalizar-se para a prática, o serviço social tem forçosamente de buscar o detalhe e a minúcia em cada programa específico, o que relega a visão comparativa para planos menos importantes.

Também porque se ocupa crucialmente da ação, esta perspectiva tende a concentrar seu esforço no estudo de programas governamentais e empresariais particulares, vistos quase sempre fora de quadros determinativos maiores. Caracteristicamente, ela os estuda usando de ecléticas misturas de teorias e métodos, mais como uma abordagem multidisciplinar e aplicada do que como uma teoria específica. O problema, como diz Gough em passagem que já citamos, é que tal ecletismo freqüentemente só conduz à confusão, gerando as "justaposições assistemáticas" a que ele se referia. A regra, portanto, no interior da perspectiva, é de ausência de teorias explicativas.

Uma decorrência importante dessa ênfase em programas particulares se manifesta na própria definição de política social mais caracteristicamente empregada pela perspectiva do serviço social. Para ela, o conceito de política social está de certa maneira pronto no real, confundindo-se com aquelas ações concretas que determinado governo, em determinado lugar e tempo, executa sob essa rubrica. Assim, *quem define o que é política social não é o pensamento teórico, mas a prática governamental.* Se uma forma de ação é pelo governo chamada de "social", a perspectiva do serviço social se limita a registrá-la, passando a incluí-la em seu "conceito". Se, vice-versa, o governo cancela uma atividade anteriormente designada por ele com esse qualificativo, a perspectiva abole prestamente sua existência da definição que utiliza. *Mutatis mutandi,* o mesmo se aplica quando o agente em pauta é a empresa privada.

Como se pode perceber, isso significa que *a perspectiva do serviço social simplesmente não tem um conceito próprio do que é a política social.* Daí derivam inúmeros problemas interpretativos e teóricos, que podemos identificar com a expressão "empirismo ingênuo", no duplo sentido de algo que subordina a reflexão às flutuações dos humanos governamentais e que, assim, se vê impedido de as pensar e criticar.

Também por estas razões, a perspectiva do serviço social só muito recentemente começa a conseguir libertar-se (e isto de maneira ainda parcial) de uma ingenuidade ideológica que sempre foi muito típica dela. Embora há muito ela já professasse seu reconhecimento da importância da ideologia no trabalho de serviço social, ela permanecia como que cega para seu próprio papel na legitimação e na racionalização da ordem social. Mais uma vez, era como se ela não tivesse tempo para pensar nisto, pois estava assoberbada pelas tarefas "práticas".

Vemos, assim, que a ênfase no "empírico" podia levá-la, como efetivamente a levou em muitos casos, a uma leitura míope e desfocada da "realidade dos problemas sociais", ou seja, daquilo mesmo que ela erigia como sua principal virtude dado que era uma perspectiva que se auto-explicava pela noção de "prática", isto é, de ações possíveis em cada contexto. Tal deficiência, é desnecessário dizer, pode ser vista como uma severa limitação desta perspectiva.

• • •

Sumariando estas observações, podemos concordar com Mishra quando ele identifica os principais traços da perspectiva de serviço social, notando, com ele, que tal síntese não implica considerar que todo e qualquer autor a ela vinculado tenha de subscrevê-los integralmente (idem, p. 8). Assim, embora até se possa assinalar que esta perspectiva esteja mudando, seus traços mais gerais ainda são atualmente:

a) focalizar o estudo de políticas e problemas no âmbito estritamente local e nacional
b) privilegiar o estudo de programas governamentais e empresariais isolados
c) adotar uma abordagem essencialmente voltada para a "prática"
d) possuir um enfoque multidisciplinar e teoricamente confuso
e) ser basicamente empirista
f) situar-se ingenuamente perante os efeitos ideológicos de sua própria prática.

Como lembra Mishra, estas características fazem com que a perspectiva do serviço social seja diferente das demais abordagens que consideraremos adiante. Para todos os efeitos, ela não representa uma teoria, estrito senso, sobre a política e o bem-estar social, mas isto não faz com que ela perca importância como marco de referência intelectual e ideológico para muitos estudos sobre o tema (idem, p. 8).

O tom de crítica que viemos adotando até aqui não significa uma recusa global e peremptória desta perspectiva. Ao contrário, podemos notar que algumas de suas características muitas vezes produzem efeitos positivos, tanto no plano do conhecimento, quanto no normativo.

Assim, a ênfase nacional e a orientação para a ação fazem com que a perspectiva do serviço social, mais do que qualquer outra, tenha a *praticidade* de suas interpretações e recomendações como uma meta crucial. Esta é uma dimensão extremamente louvável desta perspectiva, pois, freqüentemente, as outras, em nome de um hipotético rigor teórico, só conseguem chegar a leituras inócuas da realidade social.

Uma segunda dimensão positiva é sua *preocupação com problemas socialmente relevantes.* Ao orientar-se praticamente, a perspectiva do serviço social trata de temas que afetam de forma até dramática determinados segmentos sociais, muitas vezes mostrando ao conjunto da sociedade sua existência e gravidade.

Além destes atributos, podemos dizer que é também uma perspectiva louvável do ponto de vista de sua *adesão a valores humanitários.* Ainda que às vezes seja um humanitarismo que se poderia chamar ingênuo, esta é uma característica quase sempre presente nas obras identificadas com ela.

Podemos sintetizar todos estes atributos positivos dizendo que é uma *perspectiva preocupada com a sociedade e a mudança social em um sentido direto e imediato.* Por sua visão prática de problemas socialmente relevantes e por sua adesão a valores humanitários, trata-se de uma abordagem onde as questões concretas e as respostas imediatas a elas recebem uma atenção muito maior do que é típico nas demais teorizações sobre a política social.

Para fornecer aos leitores uma idéia dos principais autores internacionais cuja obra pode ser identificada com esta perspectiva, o primeiro nome que deve ser lembrado é com certeza o de Richard Titmuss. Com uma intensa atividade tanto acadêmica, quanto de assessoria governamental, Titmuss foi um importante pensador da Inglaterra do pós-guerra, especialmente do final dos anos 50 e início dos 60. Pesquisador de múltiplos interesses, escreveu livros sobre a situação de seu país e também sobre o sistema de políticas sociais de antigas colônias inglesas. Nelas, tratou de temas práticos (como não poderia deixar de ser), mas também se voltou para questões mais gerais, de ética e de filosofia da política social. Entre seus escritos, dois merecem destaque.

O primeiro, na linha "prática", foi um estudo de grande impacto em seu país sobre as tendências da distribuição das rendas inglesas no pós-guerra. Intitulado *Income Distribution and Social Change* ("A distribuição da renda e a mudança social"), a obra mostrava que, ao contrário da opinião generalizada, a distribuição de renda da população inglesa não tinha se tornado mais igualitária no período. Para isto, teve ele de criticar o conceito de rendimentos então empregado pela contabilidade nacional e refazer minuciosamente os cálculos relevantes. Com o livro, os defensores da expansão da política social ganharam uma base estatística muito segura para justificar a necessidade de ampliar a cobertura dos programas sociais, mesmo em meio a uma época de prosperidade econômica geral (Titmuss, 1962).

O segundo, chamado *The Gift Relationship* ("A relação de doação" ou "generosa"), foi sua última obra e era dedicada ao estudo do altruísmo e de seu papel na sociedade moderna. Centrando-se no caso da doação de sangue, Titmuss fazia no livro uma apologia das doações estritamente voluntárias, que eram a regra na Inglaterra, opondo-as ao sistema comercial vigente dos Estados Unidos. Mostrando que o padrão inglês era superior em eficiência ao americano, o livro terminava por ser uma defesa da política social altruísta e generosa, ao mesmo tempo que uma condenação da política social "egoísta" e submetida às regras do mercado econômico (Titmuss, 1973).

Além de Titmuss, outros autores contemporâneos adotam a "perspectiva do serviço social", em suas obras. Pinker e Donnison, na Inglaterra, são dois bons exemplos (Pinker, 1979, e Donnison *et al.*, 1975).

Antes de concluir esta breve apresentação, vale a pena insistir em uma idéia já elaborada atrás. Trata-se da necessidade de evitar a confusão entre *"perspectiva"* do serviço social, nos termos aqui discutidos, e a *"profissão"* do serviço social. Durante muitos anos, era possível dizer que uma e outra se encontravam tão interligadas que qualquer profissional partilharia da perspectiva. Hoje, no entanto, depois de sucessivas revisões no ensino e na atuação dos profissionais, tal ligação não pode mais ser estabelecida com clareza. Muitos profissionais não apenas criticam a perspectiva tradicional como passaram a adotar outros marcos de referência para seu trabalho.

A "TEORIA DA CIDADANIA"

Até os meados dos anos 70, quando o interesse dos marxistas pela política social despertou, a principal abordagem teórica existente nesse campo de estudos era a que podemos chamar "teoria da cidadania". Como vimos, a perspectiva do serviço social não chegava a ser uma "teoria", o que fazia com que, salvo as outras abordagens de menor difusão, a "teoria da cidadania", a bem dizer, reinasse absoluta.

A identidade própria dessa abordagem é dada pela centralidade que o conceito de "cidadania" possui em seu interior. Para ela, o entendimento da política social é inseparável da compreensão do processo de expansão e de transformação da cidadania no mundo moderno.

O ensaio seminal dessa abordagem foi escrito logo depois da 2ª Guerra Mundial, por T. H. Marshall. Inicialmente uma conferência, tal texto, intitulado "Classe social e cidadania", cedo se tornou um clássico (Marshall, 1963).

Como se pode depreender do título do ensaio, Marshall pretendia nele examinar as diferentes e complexas relações que existem entre as noções de classe social e de cidadania. A primeira se referiria aos elementos de diferenciação e desigualdade característicos das sociedades modernas. A segunda, ao contrário, afirmaria uma igualdade básica entre as pessoas, decorrente, em suas palavras, da participação integral de todas na comunidade nacional. Antes, porém, de explorar as disjunções e contradições entre ambas, devemos, como Marshall, explicar melhor a própria idéia de cidadania.

Para ele, *a cidadania é essencialmente um conjunto de direitos,* que se podem subdividir em três blocos: os *direitos civis,* os *direitos políticos* e os *direitos sociais.* Eles não surgiram juntos na história, pelo contrário, tendo sido necessários alguns séculos até que cada um se configurasse e todos se fundissem. Assim, a cidadania integral, com todas suas três dimensões, seria algo típico apenas do século XX.

Os direitos civis, segundo Marshall, seriam aqueles "necessários à *liberdade individual:* liberdade de ir e vir, liberdade de imprensa, pensamento e fé, o direito à propriedade e de concluir contratos válidos e o direito à justiça". Este último produz a possibilidade de garantir os demais em igualdade com qualquer outra pessoa, e sugere que as instituições mais cruciais para o exercício e a salvaguarda dos direitos civis são os tribunais de justiça (p. 112).

Os direitos políticos são os de "*participar no exercício do poder político*, como membro de um organismo investido de autoridade política ou como um eleitor dos membros de tal organismo". Em breve, portanto, são os direitos de votar e ser votado, assim participando dos organismos públicos. Também eles teriam instituições específicas encarregadas de materializá-los: o parlamento e as câmaras representativas em geral (p. 112).

Finalmente, para Marshall, os direitos sociais vão desde *"o direito a um mínimo de bem-estar econômico e de segurança, ao direito de participar, por completo, na herança social e a levar a vida de um ser civilizado de acordo com os padrões que prevalecem na sociedade"*. Seriam, em outras palavras, os direitos a uma qualidade de vida socialmente aceita como a mínima admissível. Agora, as instituições responsáveis pela substantivação de tais direitos seriam o sistema educacional e os serviços sociais (p. 113).

No argumento de Marshall, os três componentes do conceito moderno de cidadania teriam trilhado caminhos separados e diferentes no tempo. O século XVIII viu a afirmação dos direitos civis, o XIX a generalização dos políticos e o XX assistiu à construção dos sociais. Somente na atualidade, portanto, como dissemos, a cidadania pode ser entendida dessa maneira trifacetada.

Devemos ter claro que a análise de Marshall, no ensaio em questão, estava referida à Inglaterra e apenas a ela. Assim, a cronologia sugerida por ele não se aplica, em princípio, ao processo de expansão da cidadania em outros contextos. O próprio autor, pelo que se pode depreender do texto, não parece ter tido consciência muito clara dessa limitação, em mais de uma passagem deixando implícito que a seqüência por ele apontada poderia descrever a evolução da cidadania *na sociedade moderna em geral.*

Isto, porém, não é verdade, por dois motivos. Por um lado, porque o desenvolvimento da cidadania em muitos países não obedeceu àquela ordem secular, com períodos de afirmação dos direitos civis muito retardados (caso de algumas nações do Terceiro Mundo), ou então simultâneos aos de estabelecimento dos direitos políticos (caso dos Estados Unidos). Por outro, a seqüência, que Marshall aparentemente supunha necessária, na afirmação dos três direitos, foi claramente rompida no caso dos países socialistas, onde os direitos sociais vieram *antes* dos direitos civis e políticos, a crer na evidência atual.

Um segundo problema no esquema marshalliano é que ele escassamente consegue explicar os processos históricos concretos subjacentes à afirmação de cada tipo de direito. Dos três, o único que é parcialmente explicado é o que leva ao estabelecimento dos direitos civis, vistos por Marshall como uma espécie de corolário da generalização das relações de mercado.

Na medida em que a nascente economia moderna exigia a liberação da mão-de-obra das amarras da sociedade feudal, permitindo com que os indivíduos pudessem movimentar-se no espaço e nas ocupações, os direitos civis teriam emergido "materialmente".

Já os direitos políticos e os sociais surgem, para Marshall, sem que se consiga discernir quais seus fatores explicativos, pois faltam, no texto, menções aos processos históricos reais através dos quais teriam sido produzidos os resultados apontados. Ao contrário, o estabelecimento de ambos termina por ser visto como um *processo evolutivo, fundamentalmente linear e incremental.* Como diz Mishra, "a narrativa de Marshall pode ser lida como a história da afirmação gradual e inevitável de um certo tipo de conceito de cidadania inerente à natureza e ao desenvolvimento da sociedade inglesa". Em outras palavras, algo que podemos considerar essencialmente problemático (o surgimento de instâncias de igualdade em uma sociedade basicamente desigual) acaba sendo "desproblematizado", vindo a ser tratado como se fosse a coisa mais natural do mundo (Mishra, 1981, p. 30).

Deixando estas questões de lado, podemos nos concentrar agora na análise dos direitos sociais e da cidadania social correspondente a eles. É precisamente neste ponto que as idéias de Marshall mais contribuíram para definir toda uma abordagem ao estudo das políticas sociais.

Não que a discussão que acabamos de ver seja irrelevante para o tema. Ao encaixar o tratamento da política social no esquema da evolução mais geral da cidadania, Marshall lhe assegurava uma posição prestigiosa, trazendo-a para o plano das instituições mais valorizadas da sociedade contemporânea. Para ele, os serviços educacionais e sociais deviam ser vistos em pé de igualdade a instituições das quais o pensamento moderno com toda razão se orgulhava e se orgulha: a imprensa livre, o sistema de justiça, os parlamentos de representação universal. Desta forma, ele nobilitava os serviços sociais e propunha que não fossem mais tratados como aspectos de importância secundária na sociedade.

Assim, em que pesem as limitações de sua análise ao caso inglês e apesar dos problemas na sua explicação histórica, o efeito das idéias de Marshall foi trazer a discussão das políticas sociais para a "sala de visitas" da sociedade contemporânea, tirando-a da "cozinha" a que estava relegada. Depois de Marshall, a política social passou a ser muito mais respeitada, fora dos círculos tradicional e imediatamente envolvidos com ela, como os administradores públicos, os sociólogos e os profissionais de serviço social.

O conceito marshalliano de direitos sociais certamente não está isento de problemas. Lembremos que, para ele, tais direitos eram definidos de maneira muito vaga: "tudo o que vai desde o direito a um mínimo de bem-estar econômico e segurança ao direito de participar, por completo, na herança social e levar a vida de um ser civilizado de acordo com os padrões que prevalecem na sociedade". Mas o que seria esse "mínimo" de bem-estar e segurança? O que exatamente quer dizer "participar, por completo, na herança social"? O que é a "vida de um ser civilizado"? Segundo que padrões ela é fixada? Quem fixa tais critérios?

A estas questões, Marshall respondeu de forma inteiramente aberta, como quem dissesse "depende". Isto, contudo, está longe de ser satisfatório, pois, caso aceitássemos tal imprecisão chegaríamos ao relativismo absoluto, onde, *por definição,* teríamos que qualquer sociedade estabelece os direitos e a cidadania social, mesmo quando são tão pequenos que beiram a inexistência. Em outras palavras, poderíamos ter cidadãos com acesso tendente a zero às instituições encarregadas de efetivar seus "direitos", mas ainda assim sendo "cidadãos" na acepção da palavra, bastando para isso que reconhecêssemos como válidos os critérios que fixaram determinado conteúdo como "mínimo".

Um problema particularmente grave que deriva dessa imprecisão a respeito dos "direitos sociais" se manifesta na definição de política social adotada por Marshall e por seus seguidores na "teoria da cidadania". De um lado, vemos que ela, a exemplo do que ocorria com a definição adotada pela perspectiva do serviço social, também tende a ser basicamente "institucional", no sentido de atrelada às instituições e serviços sociais existentes em cada contexto. De outro (no que a teoria da cidadania inova ao ligar o conceito de política social ao de direitos sociais), vemos que ela termina por se reencontrar com o mesmo problema de ausência conceitual, dado que a concepção de direitos sociais que adota é muito vaga e imprecisa. Em outras palavras, se definirmos a política social como aquelas intervenções governamentais que dão substância aos direitos sociais, temos de conceber com exatidão o que seriam estes últimos, coisa que a teoria da cidadania, como visto, não faz.

Temos, assim, que a teoria da cidadania, tal como elaborada por Marshall, não nos explica como se estabelecem concretamente cada um dos direitos específicos inerentes a ela, muito pouco nos dizendo sobre os processos de definição e redefinição daqueles que mais nos interessam, os direitos sociais. Por isto, com ela, a política social, embora enobrecida e valorizada, continua indefinida e inexplicada.

A contribuição principal de Marshal, portanto, não será encontrada no plano conceitual e definicional. Onde ele efetivamente mais colaborou para o desenvolvimento posterior dos debates a respeito da política social foi na utilização de um conceito que, por mais abstrato que seja (e talvez exatamente por isto) se mostra extremamente útil como critério de diferenciação e avaliação ética da política social de qualquer país ou época. Trata-se da noção de *igualdade,* inseparável, para ele, da própria idéia de cidadania.

O conceito de cidadania, assim, não se resume à posse de determinado conjunto de direitos, que podem variar de sociedade para sociedade de acordo com suas diferenças concretas. Antes, ela implica possuir os *mesmos* direitos, na esfera do civil, do político e do social. Implica, portanto, que *todos* tenham iguais condições de acesso ao mínimo que a sociedade, no estádio de desenvolvimento em que estiver, aceita como tolerável.

Assim, como diz Julia Parker:

> defender uma distribuição de serviços e recursos baseada nos princípios da cidadania é afirmar que as condições individuais de vida devem ser *protegidas por decisões políticas* que garantam níveis aceitáveis de cuidados médicos e sociais, de educação, de renda e assim por diante, *independentemente do poder da barganha de cada indivíduo.* Todos teriam de ter os mesmos *direitos de compartilhar de tudo aquilo que fosse fornecido,* nos mesmos termos que qualquer outra pessoa. *Necessidades iguais teriam de receber tratamento igual,* sem nenhuma discriminação a favor ou contra quaisquer grupos sociais, econômicos, políticos e raciais. *A idéia de cidadania implica que nenhum estigma seja associado ao uso dos serviços sociais,* quer seja por atitudes populares de condenação da dependência, quer originados de práticas administrativas ou padrões inferiores de previsão de serviços. *A qualidade dos serviços públicos teria de ser a melhor possível,* levando-se em conta a escassez dos recursos públicos (Parker, 1979, p. 145, ênfase acrescentada).

Vemos que existem na teoria da cidadania, portanto, elementos muito claros para que possamos avaliar se o conjunto de políticas sociais de uma época ou um país está mais ou menos de acordo com a idéia de cidadania. Quando nos defrontamos com situações onde a política social for pautada por atendimentos diferenciados, por desigualdades de acesso, por desarmonias entre necessidades e coberturas, por estigmatizações, por má qualidade de serviços, então teremos uma política social *não de acordo* com os princípios da cidadania. Vice-versa, ao contrário.

Se, porém, é possível encontrar estes conteúdos para a idéia de cidadania, sua extensão real e sua concretização são matérias altamente problemáticas. Nos termos em que foi formulada, a noção de cidadania define um sistema distributivo conflitante com as práticas de uma economia de mercado e com as ideologias que se associam a ela e a sustentam. Além disto, ele conflita com a idéia de reciprocidade, que, como diz Robert Pinker, é a base para que em um sistema de intercâmbio sejam mantidos o auto-respeito e o respeito mútuo (Pinker, 1979, pp. 47-49).

Fica, assim, a idéia de cidadania basicamente como uma meta, algo que podemos buscar em nome dos ideais de justiça social, mas que sabemos que dificilmente conseguiremos alcançar plenamente. De conceito analítico, a cidadania se torna convocação e apelo ético e, se na primeira função ela se revelava problemática, na segunda ela é quase insuperável.

A difusão e a importância do conceito de cidadania enquanto palavra de ordem política e filosófica, assim, ultrapassam de longe sua relevância estritamente teórica. No mundo moderno, *muito mais gente defende a cidadania que a entende,* nos termos em que foi sugerida por T. H. Marshall. Neste sentido, a "teoria da cidadania" não apenas reabilitou a política social e lhe deu a posição de algo fundamental na sociedade moderna, como elaborou um discurso e um temário de defesa da política social e de sua expansão em direção a formatos universalistas. Com ela, os argumentos para a luta pela política social e pela justiça distributiva ganharam uma nova racionalidade e uma expressão mais profunda. Isto justifica mais que suficientemente os esforços de Marshall e o coloca como um dos pensadores mais importantes na história das políticas sociais. O que lhe faltava como teórico, sobrava nele como advogado da política social.

O MARXISMO

Para facilitar nossa discussão a respeito da abordagem marxista ao estudo das políticas sociais, vamos subdividir o argumento em três tópicos. No primeiro, estaremos considerando a obra do próprio Marx, procurando apontar para a teoria (ou as teorias) da política social nela contida (ou contidas). No segundo, descreveremos brevemente a trajetória da perspectiva marxista sobre o tema até a década de 1970. No terceiro, nossa atenção se voltará para a produção dos últimos anos, quando ocorre um grande surto de investigações marxistas sobre a política social.

Conforme se vê, partimos do pressuposto de que não existe uma perspectiva marxista unitária e imutável sobre o assunto, nascida em pleno século XIX e continuada até a atualidade. Ao contrário, o marxismo de hoje, no que se refere ao estudo das políticas sociais, difere fundamentalmente daquilo que foi há cem anos. Mas vejamos primeiro como era no passado.

Em nenhuma passagem de sua obra, Marx apresenta uma teorização explícita e sistemática sobre as questões do bem-estar e da política social. Em parte, isto pode ser explicado pelo fato de que, na altura em que escreveu, praticamente nenhuma das modernas instituições de política social havia surgido. Na Inglaterra, país que estudou em maior detalhe, o que vigia era a revisão feita em 1834 da Lei dos Pobres (*Poor Law*), a bem dizer uma medida de "política anti-social". Na Alemanha, a legislação bismarckiana apenas começava, somente vindo a se consolidar após a morte de Marx.

Mas não foi por esta única razão que Marx pouco se ocupou das políticas sociais e de outras instituições de promoção do bem-estar na sociedade moderna. Na verdade, o principal motivo para isso foi a própria concepção que ele tinha da sociedade capitalista, vista como uma forma de organização social essencialmente oposta à idéia mesma de bem-estar.

Pode-se dizer que, em Marx, o bem-estar social é concebido como uma norma relacional baseada nos valores da solidariedade e da cooperação. Ela se manifestaria no reconhecimento universal das necessidades humanas e na conseqüente repartição da produção social de acordo com o critério de necessidade, algo que os valores e as instituições capitalistas contrariariam frontalmente. A propriedade privada e a herança, a produção para o lucro e a conseqüente exploração do trabalho, a distribuição do produto social através dos mecanismos impessoais do mercado, onde os indivíduos só se relacionam pela intermediação do dinheiro, representariam a negação das necessidades humanas e da solidariedade social. A coerção e a competição, ao invés da cooperação e da fraternidade, estariam, portanto, no próprio cerne da sociedade capitalista (Mishra, 1981, cap. 5).

Como diz Mishra, para Marx, a idéia de "bem-estar somente poderá ser estabelecida como uma norma social central quando o controle comunal sobre as condições de trabalho e de vida fosse afirmado, ou seja, quando o mercado, a propriedade privada e a produção para o lucro fossem abolidas e substituídas por um sistema cooperativo de produção e distribuição" (Mishra, 1975, p. 289). Portanto, somente quando o capitalismo desaparecesse, cedendo lugar para o socialismo e o comunismo.

Vemos, assim, que Marx trabalhava com um conceito totalizante de bem-estar, segundo o qual somente na sociedade pós-revolucionária faria sentido falar em bem-estar. Não era no capitalismo que ele existia, donde se explicando o desinteresse mais geral de Marx pelas políticas pretensamente destinadas a promovê-lo.

Esta maneira de ver (ou não ver) a política social na sociedade capitalista aparece em diversas obras de Marx, especialmente nos textos dirigidos mais diretamente para o debate político e o ativismo ideológico. No "Manifesto do Partido Comunista", em "Trabalho assalariado e capital" e, particularmente, na "Crítica ao programa de Gotha", toma corpo essa que poderíamos chamar de uma *"visão militante"* da política social capitalista, que nega sua possibilidade e que ironiza seus defensores. Referindo-se, por exemplo, à solicitação do programa de Gotha de uma educação "universal e compulsória", Marx se perguntava:

> *Educação popular igual?* Que se entende por isto? Acredita-se que na sociedade atual (que é a de que se trata) a educação pode ser *igual* para todas as classes? (...) O fato de que (nos Estados Unidos) sejam "gratuitos" também os centros de ensino superior, significa tão-somente, na realidade, que ali as classes altas pagam suas despesas de educação às custas do fundo de impostos gerais (...) Isso

de "educação popular a cargo do Estado" é completamente inadmissível. (Marx e Engels 1976, p. 240, ênfase no original).

Foi com raciocínio semelhante a esse que Marx e também Engels trataram de questões como a habitação popular, a saúde pública e a assistência social, então emergentes à medida que avançavam a urbanização e a industrialização capitalistas. Nesse pensamento, manifestava-se uma atitude de profunda descrença quanto à possibilidade de que o estado burguês fosse capaz de reconhecer quaisquer necessidades das classes trabalhadoras, respondendo a elas através de políticas sociais. Para Marx, conforme diz Mishra, a verdadeira "mudança só pode ser revolucionária e de atacado", ficando as "reformas de varejo" como itens que merecem atenção apenas quando é relevante que sejam denunciadas na luta ideológica (Mishra, 1975, p. 289).

O interessante, porém, é que essa "visão militante" não era a única que Marx tinha a respeito do assunto. Na verdade, toda uma outra visão das transformações da sociedade capitalista e da política social dentro dela pode ser encontrada em alguns de seus textos, especialmente em *O capital,* nas passagens que analisam o processo de regulamentação da jornada de trabalho na Inglaterra dos meados do século XIX.

Essa análise pode ser tratada como um estudo de caso de uma iniciativa política nitidamente "social", tanto pelo que a limitação da jornada representou de melhoria nas condições de vida dos trabalhadores, quanto pelo impacto que teve no processo de acumulação, freando a "ganância" dos empresários. Podemos, portanto, ver essa regulamentação como exemplo de uma "política social", à qual Marx dedicou atenção, ao invés de relegá-la como coisa irrelevante.

Assim, embora se possa dizer que para Marx o capitalismo fosse concebido como essencialmente antagônico a uma real elevação das condições de vida dos trabalhadores, ele não negava a possibilidade de que alguma melhoria pudesse ocorrer ainda em seu interior. Ao contrário, não apenas isto era possível, como era também possível que o estado burguês legislasse *a favor* dos trabalhadores e *contra* os capitalistas, como no caso em apreço.

Tal possibilidade, contudo, era, por um lado, *problemática,* e, por outro, *limitada.* Vejamos em que sentido, olhando com mais cuidado a questão da regulamentação da jornada de trabalho.

Ela era *problemática* por decorrer de um processo de luta política ao cabo da qual os trabalhadores só conseguiram obter a jornada reduzida como uma "conquista". Assim, se tivessem permanecido inertes, à espera de medidas estatais protetivas, nada teriam alcançado. Por isto caberia caracterizar como "problemática" a política social, e não como um resultado "natural" da operação da sociedade capitalista. Como dizia Marx, a regulamentação da jornada era "o resultado de uma guerra civil prolongada, mais ou menos velada, entre a classe capitalista e a classe trabalhadora" (Marx, 1970). A Lei das Dez Horas, portanto, podia ser vista como "um grande sucesso político, a vitória de um princípio; pela primeira vez (...) a economia política burguesa sucumbia perante a economia política da classe trabalhadora" (idem, p. 450).

Temos, assim, que Marx admitia a possibilidade de que os valores e os ideais pós-capitalistas (socialistas) pudessem começar a ser afirmados ainda dentro do capitalismo. A isso, porém, só se chegava mediante a ação política e o enfrentamento combativo entre trabalhadores e patrões, em processos concretos de luta social. Precisamente por isto, ele concebia as medidas de proteção social como problemáticas, como temos dito, ao invés de considerá-las naturais à sociedade capitalista.

Além disso, elas também seriam, no entender de Marx, forçosamente *limitadas,* e isto por dois motivos. De um lado, por serem incapazes de promover o bem-estar mais global dos trabalhadores e suas famílias; de outro, por raramente conseguirem ser efetivas, ainda que restritas. Nascidas limitadas, as medidas favoráveis à classe trabalhadora esbarrariam na relutância dos parlamentos em regulamentá-las, em dificuldades operacionais de várias ordens e na teimosa resistência dos patrões em efetivamente implementá-las. Como escassamente o estado burguês se disporia a fiscalizar seu cumprimento, quase todas as leis de alcance social estariam vocacionadas para permanecer no papel.

Estas considerações não o levavam, contudo, a menosprezar a importância de leis como a que estamos comentando. O que elas sim indicam é o quanto Marx descria da possibilidade de uma real e significativa mudança da sociedade capitalista em direção a padrões distributivos mais benéficos para os trabalhadores, *caso estes permitissem que ela continuasse a ser movida apenas por sua própria dinâmica.* Em outras palavras, pouco podiam os trabalhadores esperar de melhoria em suas condições de vida, se cruzassem os braços e se se pusessem a aguardar o dia em que o Estado e o capital achassem por bem de elevá-la.

Não há, portanto, ao contrário do que acredita Mishra, uma visão "ambígua" ou "dual" no tratamento que Marx dá às questões do bem-estar em suas obras, uma que negaria a possibilidade de mudanças favoráveis aos trabalhadores e outra que a afirmaria. Em Marx, o raciocínio é essencialmente um só, seja quando aponta para a não-naturalidade da temática do bem-estar no interior do capitalismo, seja quando mostra as condições especiais que se requerem para ele, seja parcialmente estabelecido. Para Marx, deixada subordinada às suas próprias forças motrizes, a sociedade capitalista nada mais faria além de confirmar na prática sua tendência a imiserar os trabalhadores, a explorá-los cada vez mais e a proletarizar o que restava das classes médias tradicionais. Contra tal direção, porém, poderiam opor-se pressões e interesses, não necessariamente apenas dos trabalhadores, capazes de alterá-la e de suspender, mesmo que marginalmente, seus efeitos. Tais forças, como dito, não teriam de estar todas no interior da classe trabalhadora, pois esta podia encontrar aliados em outras classes (como ilustra o caso da participação das classes médias e da aristocracia rural na defesa da redução da jornada de trabalho) e podia contar com a hipótese de que parcelas da própria classe burguesa enxergassem as disfuncionalidades da "imiseração absoluta", dadas suas seqüelas econômicas e políticas.

Na passagem para o século XX, as idéias de Marx a respeito do bem-estar e da política social foram, ao mesmo tempo, preservadas e modificadas pelos autores marxistas. Não nos deteremos em analisar a contribuição de cada um em particular, até porque, salvo algumas exceções, bem poucos dentre eles dedicaram à política social uma atenção mais detida. Assim, se é verdade que John Saville, ainda nos anos 50, se ocupou mais sistematicamente do estudo da evolução da política social inglesa, autores como Nicos Poulantzas e Ralph Milliband, responsáveis pelos dois mais difundidos manuais marxistas sobre o Estado nos anos 60 e 70, a rigor ignoram o tema, como se ele não merecesse um tratamento mais que ligeiro (Saville, J., 1957-58).

Podemos dizer que era como se, levando ao pé da letra a tese de Marx sobre a limitação a que intrinsicamente a política social estaria submetida na sociedade capitalista, a maioria dos marxistas se sentisse desobrigada da tarefa de ter de entendê-la. Se era mesmo tão limitada e pequena, não haveria por que preocupar-se com ela.

O interessante é que os raros textos marxistas sobre a política social produzidos até meados dos anos 70 em nada concordavam com o segundo atributo que Marx enxergava nas relações entre ela e a sociedade capitalista, a problematicidade. Ao contrário, o que esses textos procuraram demonstrar era que ela podia ser considerada essencialmente *funcional* para o capitalismo, com ele, portanto, convivendo em união harmoniosa.

Temos, aqui, uma notável revisão das colocações do próprio Marx. O que por ele era visto como artificial e inesperado, tornava-se, nas mãos de seus seguidores, algo natural e previsível, um complemento e não uma contradição.

Ao ser assim reconceitualizada, a política social passava a ser entendida pelos marxistas como útil e funcional para o capitalismo, quer se considerasse o processo de acumulação, quer se pensasse no Estado capitalista em si mesmo. Para o processo de acumulação, a política social seria funcional de dois ângulos diferentes: do lado da produção, ao rebaixar custos de reprodução e elevar a produtividade do trabalho; do lado da circulação, por permitir que os níveis de demanda agregada se mantivessem elevados, mesmo em épocas de crise, tanto pelas transferências governamentais de renda a grupos como os desempregados e os aposentados, quanto pelo estímulo ao setor produtivo fornecido pelas compras do governo necessárias à operação dos programas sociais. Sua funcionalidade não cessaria aí, no entanto, pois elas também seriam diretamente úteis para o próprio Estado, que através dela ganhava a adesão e a docilidade dos trabalhadores. Estes, iludidos pelas vantagens a curto prazo representadas por ela, abririam mão de seu potencial revolucionário, sendo cooptados e se integrando ao sistema.

Com estes raciocínios, os marxistas de até meados dos 70 não só provavam que a análise de Marx estava errada, como sepultavam sob sete palmos metáforas como a da "guerra civil prolongada" e da "vitória da economia política" dos trabalhadores, de que Marx tanto gostava. Ao invés delas, o que surgia era a imagem de uma burguesia infinitamente ardilosa, capaz de descortinar com espantosa exatidão toda a utilidade que para ela estava presente nas políticas sociais. Resolvia-se sob a mágica do argumento da funcionalidade todo o problema da política social: na sociedade capitalista, essa política existia porque servia aos interesses econômicos e/ou políticos do capital.

Veja-se que, até mesmo nos autores que continuaram a insistir na importância dos conflitos sociais para a compreensão da política social, a tese funcional permanecia presente. É o caso das obras de Francis Piven e Richard Cloward, onde, apesar do emprego de expressões como "um pobre quieto nunca consegue nada", a existência e a expansão da política social terminavam por ser explicadas pelas suas funções de manutenção da ordem burguesa (Piven e Cloward, 1974; Piven e Cloward, 1979).

Em termos definicionais, generalizou-se no interior do marxismo um conceito de política social inteiramente derivado do raciocínio funcional, segundo o qual ela era pensada através de seus efeitos para a manutenção do capitalismo. Sem querer negá-los, o relevante é constatar o quão inadequada é tal definição, seja por não conseguir fixar as fronteiras entre o que é e o que não é a política social, seja por não ser capaz de identificar uma substância comum mais do que trivial para o que fica no seu interior. Em outros termos, mesmo se aceitarmos que as políticas sociais se definem por sua funcionalidade, não vamos com isto conseguir distingui-las de outras instituições de impacto semelhante na sociedade, mas constitutivamente diferentes. (Por exemplo: a polícia em uma sociedade é útil para a manutenção da ordem, mas tudo indica que ela não é exatamente a mesma coisa que a política social.)

Vemos, assim, que, no marxismo de até recentemente, a política social não apenas era muito mal conceitualizada, como éramos obrigados a pensar qualquer dinâmica dela (contração, expansão ou conservação) como decorrente de alterações de sua funcionalidade. Surgida com o capitalismo, dele dependente e a ele acoplada em união funcional, a política social era vista pelos marxistas como uma brilhante (porém lamentável) criação da burguesia para melhor dominar e explorar os trabalhadores.

Qual não foi o problema para esses marxistas quando, na segunda metade da década passada, uma intensa campanha de denúncias e um violento ataque às instituições da política social nos países avançados começou a ser feita exatamente pela direita. Aquilo que mais se aproximava do que classicamente se entendem ser os "representantes políticos e ideológicos da burguesia", ao invés de procurar defender a política social, se pôs a desmontá-la e a cortá-la.

Não é este o lugar para discutir os acontecimentos históricos que levaram ao declínio, naquela altura, dos chamados *welfare states* e nem de explicar por que neoliberais conservadores como Friedman e Hayek assestaram suas baterias contra a política social nos países avançados. Para nós, basta notar que foi durante esse processo que toda uma nova vaga de estudos marxistas sobre as políticas sociais se iniciou. A lamentar, há que constatar que esta descoberta (ou redescoberta) da relevância das políticas sociais ocorresse em um momento em que ela perdia alento, em uma situação análoga à que Marx descrevia com a metáfora da "Coruja de Minerva", símbolo da ciência, que só alça vôo ao entardecer, quando os fenômenos que deve estudar estão já em seu ocaso.

Nestes últimos dez anos, como afirmado, uma nova preocupação de autores marxistas com o tema da política social surgiu. Pelo menos em parte, esse interesse pode ser explicado pela necessidade de defendê-la dos ataques à direita que ela sofria, mas ele também decorria da certeza de que era preciso deixar os velhos conceitos funcionais, buscando novos modelos teóricos e informações empíricas mais exatas, a fim de que a questão pudesse ser tratada em sua real complexidade.

Nessa nova vaga de estudos marxistas, as antigas teses de Marx foram criticadas, assim como as revisões por que tinham passado ao longo da história do marxismo. A tese da limitação, embora não de todo abandonada, pois efetivamente a política social não tinha promovido o bem-estar global dos trabalhadores, tinha de acomodar a realidade de que inquestionavelmente haviam ocorrido substanciais e significativas elevações na qualidade de vida dos grupos populares, especialmente depois da 2ª Grande Guerra nos países avançados.

Quanto à problematicidade, na forma em que havia sido tratada por Marx, também tinha de ser repensada. O modelo causal proposto por Marx para explicar a regulamentação da jornada de trabalho, mesmo se adequado para aquele caso singular, mostrava-se simplista e singelo como argumento generalizável. Percorrendo a história das políticas sociais no século XX, nenhum autor conseguiu apontar para um único exemplo adicional de uma política que tivesse nascido sob o signo da "guerra civil prolongada". A imagem da política social como "conquista" passou, portanto, a ter uso quase que exclusivamente retórico.

No que se refere à revisão funcionalista dessa tese, sua relevância e aplicabilidade passou a ser, no máximo, residual. Os efeitos e resultados de funcionalidade das políticas sociais eram já consensualmente admitidos e, neste sentido, a "onda funcionalista" trouxera frutos positivos. Isto, porém, não significava aceitá-la como explicação das origens da política social, papel no qual foi simplesmente ignorada.

É ainda cedo para cobrar resultados teoricamente mais acabados dessa nova vaga. Inúmeras investigações ainda estão em curso, perseguindo questões que vão do mais abstrato ao mais concreto, do mais antigo ao mais atual, do mais particular ao mais genérico. Para finalizar este tópico, portanto, nos limitaremos a indicar alguns autores e alguns campos de pesquisa, que formam, em seu conjunto, toda uma nova agenda de preocupações de autores mais ou menos inspirados em Marx a respeito da política social.

Na Europa destacam-se: Claus Offe, com seus estudos sobre a sociedade e a política contemporânea e o papel da política social dentro delas; Cristine Buci-Glucksman, que tem trabalhado com o tema da social democracia; Gosta Espig-Anderson e Goran Therborn, com seus trabalhos históricos e comparativos; Ian Gough, que vem se dedicando à reconceitualização do que são as "necessidades básicas"; Laura Balbo, com suas pesquisas sobre "estatização da família" e "familiarização do Estado". Na Inglaterra, na França, na Alemanha e na Escandinávia, há uma vasta produção emergente. Nos Estados Unidos, podemos lembrar de Sam Bowles e Herbert Gintis, com seus estudos sobre o "Estado liberal democrático" e o sistema escolar, entre muitos outros.

Não se deve ler a listagem indicada como exaustiva e nem como constituída de tudo o que há de mais notável. Como dito, existem muitos outros autores, sendo os aqui mencionados escolhidos apenas para ilustrar a diversidade de preocupações que caracteriza o que estamos chamando "nova vaga". Dela, o que podemos esperar é que realmente avance a reflexão marxista sobre as políticas sociais, pois, até muito recentemente, sua contribuição tinha sido modesta.

O "FUNCIONALISMO"

No seu livro sobre as teorias mais utilizadas no estudo das políticas sociais, Ramesh Mishra dedica um capítulo inteiro à consideração do funcionalismo. Curiosamente, no entanto, boa parte dele é gasta na demonstração do quão pouco os autores funcionalistas, tanto clássicos, quanto contemporâneos, disseram explicitamente a respeito do assunto (Mishra, 1981, cap. 4).

Assim, se é verdade que pensadores funcionalistas clássicos como Durkheim e Spencer efetivamente se referiram às questões da política social, e se também funcionalistas modernos como Parsons, Merton e Smelser o fizeram, tanto uns, quanto outros, dedicaram a elas uma atenção muito pouco sistemática. Spencer, por exemplo, era mais um adversário que um estudioso da política social, opondo-se a ela em nome de um laissez-fairianismo ortodoxo. Durkheim, por seu turno, não chegou a ignorá-la e nem a combatê-la, mas pouco disse a seu respeito, a não ser sugerir que ela se integrava no rol das novas funções que o Estado tinha de passar a assumir, na medida em que lhe cabia o "dever de nos lembrar de nossos sentimentos de solidariedade social". Quanto aos modernos, nenhum dos mencionados se ocupou diretamente do tema (idem, pp. 51-55).

Apesar disto, faz sentido discutir o funcionalismo enquanto uma abordagem ao estudo das políticas sociais por duas razões. Em primeiro lugar, porque, na concepção mais geral da sociedade proposta pelos funcionalistas, efetivamente havia um lugar reservado para as instituições de política social, que eram desta forma, de alguma maneira, explicadas por ela. Em segundo, pela influência que exerceu em outros modelos de estudo da política social, principalmente na "perspectiva do serviço social".

Assim, embora não sugerisse uma teorização explícita sobre a política social, o funcionalismo desenvolveu uma concepção da sociedade dentro da qual podemos localizá-la, uma concepção tanto relevante por si só, quanto pela sua difusão. Vejamos como ela era, em breves palavras.

Partindo da idéia de Parsons de que toda sociedade se defronta com alguns "pré-requisitos funcionais", que ela necessita resolver para manter-se enquanto sociedade, podemos dizer que, para os funcionalistas, a política social é parte do "subsistema integrativo", o conjunto de instituições e papéis que se destinam a manter a harmonia e a solidariedade. Basicamente, portanto, a política social existiria para aumentar o nível de integração na sociedade, por isto se entendendo tanto a coesão social, quanto a harmonia nas relações entre as pessoas e os grupos.

A isto ela poderia chegar por dois caminhos. De um lado, garantindo que os padrões vigentes não fossem perturbados, donde que a estabilidade e a ordem fossem mantidos. De outro, a política social também contribuiria para a integração ao difundir "sentimentos de solidariedade", como diria Durkheim, com isto aproximando a sociedade moderna dos padrões de interação típicos das pequenas comunidades e da família.

De acordo com os funcionalistas, essas funções integrativas sempre teriam sido desempenhadas, em qualquer sociedade que se considere. Na sociedade moderna, a política social estaria, portanto, apenas fazendo aquilo que anteriormente cabia à família e à religião, duas outras instituições igualmente integrativas. Seria dentro do processo de "diferenciação estrutural" (que significa a subdivisão de funções antes reunidas entre instituições especializadas), que ela teria se destacado para a tarefa, mas isso não implicaria nenhuma mudança qualitativa mais profunda.

Vemos, assim, que o funcionalismo efetivamente sugeria uma concepção das políticas sociais, mesmo que não a explicitasse. Podemos, também, ver algumas afinidades entre essas idéias e as da perspectiva tradicional do serviço social, com sua ênfase na discussão das políticas sociais como "reformas de varejo" na sociedade, que a preservam e mantêm. Para ilustrar, podemos lembrar a definição de Richard Titmuss sobre o próprio campo do serviço social: "as instituições sociais que fomentam a integração e desencorajam a alienação" (Titmuss, 1968, citado em Pinker, 1979, p. 247).

O que também cabe mencionar é o quanto os argumentos dos funcionalistas se assemelham àquilo que chamamos "marxismo funcional". Na verdade, a única diferença entre ambos é que esses marxistas terminavam por ver como negativas coisas que os funcionalistas consideravam positivas. No fundo, porém, em termos teóricos, o raciocínio é um só, quer se diga que é bom ou que é mau que as políticas sociais existam para "garantir" a reprodução da sociedade.

A "TEORIA DA CONVERGÊNCIA"

O que estamos aqui designando como "teoria da convergência" pode ser entendido como uma variante do modelo funcionalista, ainda que não do mesmo funcionalismo que acabamos de comentar. Neste, a política social era discutida no contexto dos pré-requisitos de funcionamento e integração de qualquer sociedade, independentemente de tempo e lugar. Para a "teoria da convergência", ao contrário, a questão é mais específica. Ela considera, como diz Mishra, que o desenvolvimento econômico e industrial é a tarefa fundamental das sociedades modernas e acredita que é em torno dessa exigência central que a estrutura social se integra funcionalmente (Mishra, 1981, p. 39).

Trata-se, em outras palavras, de uma concepção que vê as políticas sociais, sua expansão e natureza, simultaneamente como *exigência e con-*

seqüência da economia e da tecnologia industrial. Para ela, o determinante básico da estrutura das sociedade modernas e, dentro dela, da política social, não é a ideologia, nem os conflitos sociais e nem a cultura, mas sim a *tecnologia.* A longo prazo, segundo ela, tanto os problemas, quanto as soluções típicas das sociedades industriais decorrem dos efeitos e das exigências da tecnologia industrial. Como diz Galbraith, um dos mais notáveis expoentes dessa teoria, "dada a decisão de possuir a indústria moderna, muito do que acontece depois é inevitável e igual" (Galbraith, 1967, citado em Mishra, 1981, p. 40).

É precisamente desse último aspecto, da semelhança entre as sociedades e seus problemas uma vez tomada a decisão de se industrializarem, que vem o nome "teoria da convergência". Para ela, pouco importam as diferenças "de largada" entre as sociedades no limiar da industrialização ou mesmo as primeiras diferenças "de percurso". A médio e longo prazo, todas elas iriam se encontrar em um só lugar, defrontadas com problemas essencialmente iguais e dispondo de um rol de soluções também basicamente igual. Assim, quer sejam capitalistas ou socialistas, quer sejam mais ou menos estatizadas, mais ou menos ricas, todas elas seriam, acima de tudo, sociedades que convergiam para uma situação muito parecida, a da industrialização.

A política social, nessa perspectiva, pode ser diferente nos estádios iniciais da industrialização, pois variam as elites e as ideologias, como diz Clark Kerr, outro representante desse pensamento. À medida que o processo avança, porém, as exigências funcionais da industrialização impõem políticas semelhantes a todas as sociedades. O resultado não é que todas ficam idênticas em seus sistemas de política social, mas que as diferenças entre elas diminuem. Nos países capitalistas, as velhas crenças liberais a respeito do mercado cedem lugar para a aceitação de crescentes níveis de intervenção governamental. Nos países socialistas, o coletivismo radical termina por admitir a operação dos mecanismos de mercado.

Apesar de não ser hoje em dia mais utilizada largamente, algumas das proposições da "teoria da convergência" permanecem perfeitamente relevantes. A análise de Clark Kerr sobre o papel das diferentes "elites industrializantes" continua sugestiva, especialmente quando ele e seus colaboradores mostram que os processos de industrialização conduzidos pelas "classes médias" (caso dos EUA) tendem para políticas sociais restritas e residuais, enquanto que, quando a liderança está nas mãos de grupos "tradicionais" ou "dinásticos" (casos da Alemanha e do Japão, respectivamente), a política social tende para o paternalismo (Kerr *et al.,* 1973, citado em Mishra, p. 41).

Também continua persuasivo o argumento de que determinadas questões tendem a se generalizar em toda e qualquer nação que se industrialize. Podemos pensar nos exemplos das políticas de treinamento e formação de mão-de-obra, no das políticas de atenção à saúde, no da política urbana.

O que não devemos, no entanto, e nisto consiste a principal objeção que podemos levantar contra a "teoria da convergência", é imaginar que todas as *situações* geradas pela industrialização têm, necessária e automaticamente, de se transformar em *problemas* a demandarem resposta da parte do governo. É verdade que a industrialização cria situações parecidas em todos os países em que acontece. Isto, porém, não quer dizer que elas sejam igualmente problematizadas em cada lugar. Para a transposição de uma simples *situação* em um *problema,* muitas coisas ocorrem, que dizem respeito à política, aos valores e à cultura.

É porque ignora todos estes outros níveis explicativos e porque privilegia apenas a dimensão tecnológica, que a "teoria da convergência", apesar de alguns acertos, mostra-se muito limitada como explicação da política social.

O "PLURALISMO"

Com o termo "pluralismo", vamos aqui designar uma perspectiva de estudo da política social que é típica da ciência política contemporânea, tanto nos Estados Unidos, quanto na Europa e em outras partes do mundo. Entre os autores que a adotam, contudo, a maioria está hoje nos Estados Unidos.

A própria palavra "pluralismo" sugere uma das principais características da perspectiva: a concepção da política como uma arena onde uma pluralidade de atores, movida por uma multiplicidade de causas, se encontra para transacionar. Essas interações, por sua vez, são vistas como envolvendo o emprego de recursos de várias ordens, sendo a força apenas um dentre eles.

Para essa perspectiva, portanto, a política pouco se parece com a representação que os marxistas, por exemplo, se fazem dela. Ao invés de entendê-la como uma instância basicamente determinada pela economia, onde os agentes por excelência são as classes sociais, os pluralistas tendem a vê-la a bem dizer como autônoma, pois nela determinações de inúmeras origens terminariam por se entrecortar e por anular a exclusividade causal de qualquer uma. O mesmo se aplica aos atores nesses espaço (ou, mais exatamente, nessa multiplicidade de espaços da política), pois eles também poderiam ser motivados por fatores inteiramente alheios à economia.

Assim, onde os marxistas falam do Estado, os pluralistas tendem a ver um conjunto não articulado de focos de poder e influência, dos quais o

Estado é apenas um. Onde os primeiros se referem às classes, os segundos enxergam grupos de pressão e de interesse constituídos de múltiplas maneiras. Onde o marxismo concebe as políticas governamentais como explicáveis a partir de uma "lógica" imanente ao próprio capitalismo, os pluralistas irão considerá-las como decorrentes de um jogo de causas mais complexo e original, no sentido de peculiar a cada uma. Em outras palavras, a explicação de uma política qualquer somente por acaso seria válida para outra.

Autores como Lindblon e Dahl, dois entre os mais importantes que partilham desta perspectiva, se ocuparam em alguns trabalhos do estudo da política social, especialmente para advogar reformas capazes de conciliar certas tradições da economia de mercado dos países capitalistas com partes da experiência coletivista dos países socialistas. Neste particular, como nota Pinker, eles se aproximaram das "tradições do coletivismo mercantil", preferindo como estas uma "via intermediária" entre o capitalismo e o socialismo (Pinker, 1979).

Uma relevante obra recente inspirada no pluralismo e especificamente dirigida para o estudo da política social é o trabalho que mencionamos de Hall e colaboradores. Nele, os autores se concentram na consideração de alguns casos concretos de implantação de programas sociais ingleses, evitando generalizações mais amplas sobre o conjunto da política social daquele país. Nisto, a obra pode ser considerada típica da abordagem, que, via de regra, sempre prefere o estudo de caso, refinado até o menor detalhe, às generalizações globalizantes. Caso por caso, os autores montaram esquemas explicativos, de muito improvável aplicabilidade para outras situações, dado que captavam até a minúcia dos processos que levaram a cada programa estudado (Hall *et al.,* 1975).

A obra de Hall e colaboradores é também interessante porque nela os autores pretenderam fundir a perspectiva pluralista com algumas categorias marxistas, em um casamento que, aparentemente, poucas chances de sucesso tinha. O resultado a que chegaram é promissor, no entanto, traduzindo-se no conceito de "pluralismo limitado" ou "demarcado", onde o *processo* de tomada de decisões é visto como pluralista, mas onde existem *limites* para a formulação de políticas, estabelecidas por elites que, segundo os autores, "são indistinguíveis daquilo (que pode ser chamado) classe dominante" (Hall *et al.,* 1975).

Quer seja utilizada isoladamente ou em associação a outras abordagens, a perspectiva pluralista é das mais adequadas ao estudo das políticas sociais enquanto políticas singulares. Dela, porém, pouco se pode esperar, se o que queremos são explicações mais generalizantes e mais estruturais para a política social. Alguns de seus supostos, como a postulação da racionalidade dos atores políticos, também podem ser criticados, como faz Pinker, que com razão nota que a ausência da reflexão sobre a ideologia prejudica significativamente seu alcance e utilidade. No balanço final, porém, há mais com que concordar do que discordar nas aplicações do pluralismo ao estudo da política social.

AS "TEORIAS ECONÔMICAS DA POLÍTICA SOCIAL"

Vamos entender esta última abordagem ao estudo das políticas sociais nos mesmos termos em que Gough a define, como constituída por três variantes distintas: a) as aplicações da teoria econômica do bem-estar (*welfare economics*); b) os escritos de "liberais" como Friedman e com os estudos macroeconômicos do gasto público.

Por motivos diferentes, nenhuma dessas três variantes pode ser considerada exatamente como uma teorização a respeito das políticas sociais. A chamada "teoria econômica do bem-estar" quase nunca trata a política social como objeto relevante de estudo, estando muito mais preocupada em descrever e explicar como é que os agentes econômicos tomam suas decisões, com base em que estabelecem suas preferências e como se comportam face a outros atores.

Quanto às obras de autores como Friedman, ao contrário de conterem uma proposta de entendimento da política social, o que fazem é apresentar argumentos favoráveis à sua drástica redução, quando não ao seu desaparecimento. Recuperando os trabalhos dos economistas clássicos, com seu extremado individualismo, o que Friedman procura mostrar é que a política social, quando não é inócua, tende a ser prejudicial, pelo menos na escala que atingiu nos países industrializados. Para ele, a constatação do crescimento e expansão da política social nas últimas décadas é motivo de tristeza, pois tais fenômenos estariam conduzindo à perda de dinamismo econômico, à inchação desmesurada do aparelho estatal e à diluição da operosidade e das motivações para o trabalho. Em raros momentos, Friedman se preocupa em *explicar* a política social, preferindo *condená-la*. Nisso, autores como Hayek são seus gêmeos (Friedman, 1962 e Hayek, 1949).

Finalmente, quanto aos estudos macroeconômicos do gasto público, também neles não encontraremos uma teorização explícita sobre a política social. Via de regra, tais estudos tendem a tomar como dado um perfil qualquer de políticas sociais, pouco lhes preocupando os processos e as razões pelas quais teria chegado ao ponto considerado. O que lhes interessa é entender como se comportam os grandes agregados do gasto público, como estes se relacionam uns com os outros e como podem ser comparados internacionalmente.

Isto não quer dizer que os resultados desses estudos possam ser considerados simples exercícios de contabilistas. Ao contrário, alguns desses estudos produzem informações extremamente relevantes e fornecem sólida base empírica para outros trabalhos de intenções mais interpretativas. É o caso, por exemplo, da obra de Frederic Pryor e associados a respeito dos dispêndios sociais em países capitalistas e socialistas, que fez, pela primeira vez, uma comparação muito difícil, dadas as maneiras diferentes pelas quais nos dois conjuntos de países se calculam os gastos sociais (Pryor, 1960).

Assim, embora mesmo nesta última variante não exista uma consideração mais detida dos mecanismos de causação e transformação das políticas sociais, as "teorias econômicas da política social" podem contribuir para seu entendimento. Até mesmo do caso de Friedman se pode dizer o mesmo, quando mais não seja porque obriga o pensamento favorável às políticas sociais a se explicitar e a buscar argumentos com os quais combatê-lo.

IV. CONCLUSÕES

Uma apresentação como a que fizemos neste texto não comporta exatamente uma seção de conclusões. Nossa intenção, tal como exposta, era somente fornecer aos leitores uma primeira aproximação aos diversos modelos teóricos correntemente empregados no estudo das políticas sociais. Não havia, portanto, uma tese que procurássemos demonstrar, o que torna desnecessária uma conclusão convencional.

Há, porém, uma questão interessante que justifica estas breves observações finais e que emerge quase que naturalmente da leitura do texto. Trata-se do fato de termos classificado como insatisfatórias todas as abordagens discutidas, dizendo que *nenhuma* delas podia ser considerada como inteiramente adequada.

Se problematizarmos essa afirmativa, ficamos a braços com uma pergunta que exige, e merece, resposta. Por que, afinal, são insatisfatórias todas as perspectivas? Por que será que nenhuma delas consegue fornecer uma solução para os problemas conceituais, teóricos, históricos e empíricos envolvidos no estudo das políticas sociais?

Esses problemas ficam enfaticamente ilustrados com apenas um argumento: sequer uma definição adequada do que é a política social existe nas principais abordagens que estudamos. Como vimos, nem a perspectiva do serviço social, nem a teoria da cidadania e nem o marxismo, para não falar nas demais, possuem um conceito de política social que seja teórica e empiricamente consistente.

O que substitui essa ausência (aliás, de maneira muito pobre), são mera arrolações somatórias, segundo as quais a política social passa a ser entendida como aquilo que emerge da adição de coisas tão díspares quanto os programas de saúde, habitação, educação, previdência, treinamento profissional, os serviços de assistência estrito senso social (assistência a menores, a idosos, a deficientes, a migrantes etc.), os esquemas de abatimento de obrigações perante o fisco (por baixa renda, por dependente, pelo custeio da moradia, pelos encargos educacionais etc.), assim como os subsídios governamentais ao consumo de determinados bens (alimentos, livros, energia e transportes urbanos, para mencionar apenas alguns). Pode até ser que todas estas coisas compartilhem de uma mesma substância (sem o que somá-las equivaleria a adicionar alhos e bugalhos, laranjas e bananas), mas nenhuma destas definições que estamos chamando somatórias se preocupa em nomeá-la e em especificá-la, com isto demonstrando que elas, e só elas, a possuem.

Temos, então, que todas as abordagens teóricas ao estudo da política social, por mais diferentes que sejam umas das outras, se igualam na adoção de definições puramente somatórias, pobres teoricamente e muito insatisfatórias metodologicamente. Autores identificados com a perspectiva tradicional do serviço social, teóricos da cidadania e marxistas, assim, nada mais fazem que transferir para o leitor o problema de esclarecer, afinal, o que é a política social.

Podemos dizer que existem duas razões principais para estes problemas, que ficam apenas exemplarmente claros nessas questões definicionais. À primeira, chamaríamos *circunstancial.* À segunda, algo inadequadamente, designaríamos como *estrutural.*

Com o primeiro termo, queremos dizer que o estudo sistemático das políticas sociais é ainda muito jovem nas disciplinas acadêmicas. Não seria esperável que fosse diferente, pois o fenômeno é, em si mesmo, recente na história.

Isto não quer dizer que só agora tenha começado a discussão a respeito dessas políticas. Há pelo menos cem anos ela vem se travando, produzindo uma vasta e heterogênea quantidade de trabalhos desde então.

A questão é que a quase totalidade dessa produção mais antiga escassamente pode ser caracterizada como acadêmica. Antes, o que a distingue é uma vocação para a prática, para os problemas administrativos, financeiros, atuariais e operacionais imediatos de programas sociais concretos. Assim, embora existam exemplos até vetustos de estudos a respeito de políticas sociais, foi mesmo nos últimos vinte ou trinta anos que surgiram esforços mais teóricos e menos orientados para o curtíssimo prazo.

Se, do ângulo dessa explicação que estamos chamando circunstancial, a razão para a ausência de modelos mais satisfatórios é eminentemente temporal, é de imaginar que, à medida que o tempo passe, o problema diminua e até que se resolva. Em parte, isto é verdade, pois, como vimos para o caso do marxismo, a produção mais recente tende a ser significativamente melhor do que a anterior. O mesmo se poderia dizer de outras, pensando particularmente nas modificações do paradigma do serviço social ocorridas na última década.

Essa visão otimista deve, porém, ser matizada com uma dose de prudente ceticismo. Com isto, queremos sugerir que alguns dos problemas mencionados talvez sejam intrínsecos a essa área de estudos em si mesma, o que os tornaria insanáveis por mais tempo que se passasse. Mesmo que não fosse este o caso e que houvesse soluções, de qualquer forma estas não viriam do emprego das teorizações hoje existentes, mas de teorias sociais efetivamente novas, cuja próxima chegada nada parece indicar.

A questão definicional pode servir para ilustrar este ponto. Dissemos que nenhuma das abordagens atuais responde à pergunta de qual é a substância compartilhada pelos serviços sociais e os outros mecanismos mencionados. Mas, e se não existir tal substância?

Note-se que isto implicaria não só a inexistência de uma definição rigorosa da política social, mas também a sua impossibilidade. No lugar de um campo de fenômenos perfeitamente reconhecido (ou reconhecível), passaríamos a ter uma região de indeterminação, onde, no máximo, seríamos capazes de identificar alguns subconjuntos homogêneos, a estes conhecendo conceitual e teoricamente. Assim, ao invés de possuirmos *um* único conteúdo para o conceito de política social, teríamos que tolerar a existência de *mais de um,* com a carga de imprecisão que isso acarretaria.

Vale notar que, nos últimos anos, autores inspirados em abordagens muito diferentes têm chegado a um ponto semelhante a esse. Podemos lembrar da marxista Laura Balbo, que pensa ser preferível utilizar a expressão "política social" apenas como um "conceito guarda-chuva", debaixo do qual coisas muito díspares e até contraditórias podem conviver (Balbo, 1980). Para ela, pelo menos por enquanto, nada nos resta a não ser nos contentarmos com isso.

Por tudo isto, se é verdade que podemos ter algum otimismo na expectativa de que o tempo resolva os problemas das abordagens atualmente disponíveis ao estudo das políticas sociais, devemos também saber que alguns deles, se são solucionáveis, só o serão depois que novas concepções surjam e sejam testadas.

Isto, que pode parecer uma nota de pessimismo para encerrar este texto, deve ser lido em sentido oposto, como um convite para que todos pensemos mais sistemática e menos preconceitualmente a política social. Precisamente porque existem os problemas e que os reconhecemos é que devemos enfrentá-los.

BIBLIOGRAFIA

Nas referências bibliográficas a seguir, o asterisco (*) indica as obras de leitura mais recomendda.

BALBO, L.
(1980) "Riparliamo del Welfare State: La Societá Assistenziale, la Societá dei Servizi, la Societá della Crisi", *in Inchiesta,* X (46-47), out.
BUCI-GLUKSMAN, C. e THERBORN, G.
(1982) *Le Défi social-democrate.* Paris, Maspero.
BOWLES, S. e GINTIS, H.
(1980) "The Crisis of Liberal Democratic Capitalism: the Case of the United States", Amhrest (mimeo).
DONNISON, D. et al.
(1975) *Social Policy and Administration Revisited* (ed. rev.), Londres, Allen & Unwin.
ESPIG-ANDERSON, G.
(1980) "Politics against Markets: Decommodification in Social Policy", Estocolmo (mimeo).
FRIEDMAN, M.
(1962) *Capitalism and Freedom.* Chicago, Chicago University.
GALBRAITH, J.K.
(1967) *The New Industrial State,* Londres, Hamih Hamilton.
GEORGE, V. e WILDING, P.
(1976) *Ideology and Social Welfare.* Londres, Routledge & Kegan Paul.
GOUGH, I.
(1978) Theories of the Welfare State *in International Journal of Health Services,* 8 (1).
(1979)* *The Political Economy of the Welfare State,* Londres, MacMillan.
HALL, P. et al.*
(1975) *Change, Choice and Conflict in Social Policy,* Londres, Heinemann.
KERR, C. et al.
(1973) *Industrialism and Industrial Man,* Harmondsworth, Penguin.
HAYEK, F.
(1949) *Individualism and Economic Order,* Londres, Routledge and Kegan Paul.
MARSHALL, T.H.*
(1963) *Cidadania, classe social e desenvolvimento,* Rio, Zahar.
MARX, K.
(1970) *O capital: livro I,* Rio, Civilização Brasileira.
MARX, K. & ENGELS, F.
(1976) *Textos: volume III,* São Paulo, Edições Sociais.
MISHRA R.
(1975) "Marx and Welfare" *in Sociological Review* (nova série), vol. 23(2), maio.
(1981)* *Society and Social Policy: Theories and Practice of Welfare* (2ª ed.), Londres, MacMillan.
OFFE, C.
(1984) *Contradictions of the Welfare State,* Londres, MacMillan.
PINKER, R.*
(1979) *The Idea of Welfare,* Londres, Heinemann.
PIVEN, F. & CLOWARD, R.
(1974) *Regulating the Poor,* Londres, Tavistock.
(1979) *Poor People's Movements,* Nova York, Vintage Books.

PRYOR, F.
(1960) *Public Expenditures in Communist and Non-Communist Countries,* Homewood, Allen and Unwin.
ROOM, G.
(1979) *The Sociology of Welfare: Social Policy, Stratification and Political Order,* Oxford, Basil Blackwell-Martin Robertson.
SAVILLE, J.
(1957-58) "The Welfare State: An Historical Approach" *in New Reasoner,* vol. 3.
TAYLOR-GOOBY, P. & DALE, J.
(1981) *Social Theory and Social Welfare,* Londres, Edward Arnold.
TITMUSS, R.
(1962) *Income Distribution and Social Change,* Londres, Allen & Unwin.
(1968) *Commitment to Welfare,* Londres, Allen and Unwin.
(1973) *The Gift Relationship,* Harmondsworth, Penguin.

SERÁ QUE O MARXISMO RESPONDE À PERGUNTA DE COMO SURGEM AS POLÍTICAS SOCIAIS?

Marcos Antônio Coimbra

I. INTRODUÇÃO

Interrogar-se sobre *por que* determinado fenômeno existe é uma das mais importantes perguntas que qualquer esforço científico se coloca. A curiosidade a respeito das origens e das causas dos fenômenos, sejam eles naturais ou construídos pelos homens, é, talvez, o mais instigante estímulo para a ciência, mesmo quando a possibilidade de satisfazê-la inteiramente parece remota.

Isto não quer dizer que as questões sobre a causalidade dos fatos sejam as únicas de interesse da ciência. Ao contrário, perguntas sobre *como*, *onde* e *em que grau* os fenômenos ocorrem são tão pertinentes a ela quanto as relativas à causação. Em alguns casos, particularmente dentro das disciplinas sociais, estas podem até ser tudo aquilo que é possível responder, uma vez que as causas últimas dos fatos na sociedade são de descortínio muito problemático. É nisto, pelo menos, que acreditava Talcot Parsons, que supunha que, enquanto não chegassem à maturidade, as ciências sociais teriam de abster-se de pensar *causas*, limitando-se a constatar *efeitos* (ou funções) (Parsons, 1967).

Nesta, como em outras oportunidades, a evolução do pensamento contemporâneo não deu razão a Parsons. Sempre existiram, e continuam a existir na atualidade, estudos sociais enfrentando questões tipicamente causais, tanto históricas quanto dizendo respeito ao presente. Em torno dos *porquês,* estruturou-se toda uma vasta série de investigações, na sociologia, na ciência política, na antropologia e na economia.

Dificilmente se poderia dizer que o mesmo aconteceu no estudo das políticas sociais. Neste campo particular de problemas, ao contrário, o que se verifica é uma notável fragilidade dos estudos centrados nas questões causais. Estes, quando existem, ora são de um simplismo excessivo, ora pecam pelo inverso, sugerindo esquemas causais tão exageradamente complexos que se tornam irreproduzíveis e não-generalizáveis.

Tendo como referência outro texto desta coletânea, podemos dizer que o simplismo é característico da abordagem *marxista* ao estudo das políticas sociais, enquanto que a complexidade exagerada seria típica das aplicações do *pluralismo* a este campo de problemas (Coimbra, 1986). Em que pesem estes problemas, o marxismo e o pluralismo são, no entanto, as duas únicas perspectivas, dentre as sete ali consideradas, que efetivamente possuem algo que pelo menos se assemelha a uma explicação das causas das políticas sociais. Nas demais, sequer a isto se chega.

Assim, para a *perspectiva tradicional do serviço social*, as razões do estabelecimento das políticas sociais são simplesmente ignoradas, em um raciocínio que sempre as toma como dadas. Para ela, as políticas sociais são essencialmente não-problemáticas, derivando de uma espécie de "vontade geral" ou, melhor dizendo, da tradução sempre possível dessa vontade em ações de governo. O relevante, nessa perspectiva, portanto, não é entender as causas (que estariam de antemão explicadas) mas sim mostrar à sociedade que novas carências sociais se configuram reclamando resposta ou então que existem antigas que não estão sendo adequadamente providas. Nos dois casos, a perspectiva do serviço social presume que basta indicar os problemas, sendo a partir daí "natural" que a sociedade se disponha a resolvê-los.

Na *abordagem centrada no conceito de cidadania*, algo de análogo acontece. Não que ela suponha explicitamente, como a anterior, que o governo está "naturalmente" propenso a intervir nas carências da sociedade, apenas à espera de que alguém venha a lhe mostrar o "bom caminho". Em autores como Marshall, o que ocorre é que as questões causais são omitidas, o que se aplica tanto à sua explicação das origens dos direitos civis e políticos, quanto, principalmente, dos direitos sociais. Estes, e correlativamente os serviços sociais e educacionais, tornam-se, para ele, resultados de uma evolução que podemos designar, de acordo com Mishra, como *linear* e *incremental* (Mishra, 1981). Neste sentido, por não se preocupar com as explicações e os determinantes de tal evolução, a abordagem da cidadania acaba por também "naturalizar" a política social.

As três outras perspectivas mais importantes de estudo das políticas sociais, o *funcionalismo*, a *teoria da convergência* e as *teorias econômicas da política social*, por razões diferentes, terminam também não possuindo uma conveniente explicação causal do fenômeno. Nas primeiras duas, a política social pouco mais é que a materialização de *imperativos*, sejam eles pensados enquanto pré-requisitos funcionais, sejam como subprodutos necessários da industrialização. Para ambas, a política social é *inevitável*, donde sendo inteiramente dispensável a pergunta de por que ela existe. Em qualquer das variantes das "teorias econômicas", por sua vez, as perguntas causais a respeito da política social simplesmente não são colocadas, posto que elas se preocupam acima de tudo com os *efeitos* e as *dimensões* das intervenções sociais do Estado, e não com suas *explicações*.

Voltamos, portanto, ao marxismo e ao pluralismo, onde efetivamente existem modelos causais de explicação das políticas sociais. Se, porém, com relação às outras o que temos a lamentar é uma ausência, nestas agora iremos constatar uma sensível inadequação. Como afirmado, as duas erram neste particular, uma por simplificações excessivas, outra por complexificações exageradas.

Este último problema é típico do pluralismo. Em praticamente todos os estudos de políticas sociais conduzidos sob inspiração de modelos pluralistas da política, o grande problema não é falta de explicações causais, mas o oposto, a multiplicação *ad infinitum* de dimensões determinativas. Ao cabo deles, normalmente ficamos, ao mesmo tempo, sem saber se existe alguma hierarquia entre as dimensões arroladas e sem meios para avaliar até que ponto a explicação fornecida pode ser generalizada e aplicada a outros problemas.

Em grande parte, isso decorre de ser o "estudo de caso" o mais típico procedimento de pesquisa adotado pelos autores inspirados no pluralismo. Via de regra, são esforços de explicar a origem, evolução e estado atual de políticas sociais singulares, cada qual tomada como um problema em si mesmo. Para cada uma, elabora-se uma explicação, o que, quase inevitavelmente, leva a identificar múltiplas e heterogêneas determinações se entrecortando, indo desde variáveis macrossociais até questões quase que idiossincráticas, como as atitudes e valores de indivíduos estrategicamente situados. São freqüentes os exemplos de estudos deste gênero onde chegam às dezenas os fatores causais arrolados.

Não haveria problema algum (ao contrário, só virtudes) se, a partir da constatação dessas causações complexas, os autores inspirados no pluralismo fossem capazes de reencontrar a capacidade de síntese que fatalmente se perde no mergulho no real, multifacetado e complexo por natureza. Se este é, efetivamente, multiplamente determinado, reconstruí-lo no pensamento sem perder sua riqueza e sem simplismo é tudo aquilo a que pode aspirar a ciência.

A questão é que, nessa abordagem, a bem dizer isso não acontece nunca. Depois de estudado, o real é devolvido ao leitor "em estado bruto", muito mais como um amontoado de fatos, que como algo explicado. As determinações não são hierarquizadas a partir de seus pesos relativos, não se elaboram modelos mais gerais onde as diferentes causas se articulem e nada como uma precedência causal entre elas é afirmado. Resta-nos uma vasta lista de fatores que explicam aquele caso isolado, mas nada ficamos sabendo que valha para outros casos e até para o mesmo caso em outro momento. Pelo excesso, saímos da explicação causal para a narrativa de episódios, com o agravamento de que, por mais ampla que seja, a arrolação de circunstâncias nunca consegue ser exaustiva, até mesmo porque, se o fosse, seria do real em si que falaríamos e não do real pensado.

Embora já tenhamos adiantado nossa objeção principal ao marxismo, neste particular, pode parecer que ele estaria poupado desses problemas. De fato, nada que se assemelhe ao afirmado sobre o pluralismo pode ser dito da grande maioria das investigações marxistas a respeito da política social. Isto, porém, em absoluto significa dizer que ele resolva satisfatoriamente os problemas que aqui nos ocupam.

No prosseguimento deste texto, dedicaremos nossa atenção a uma discussão da maneira ou, mais precisamente, das maneiras através das quais o marxismo responde à pergunta de *por que* existem as políticas sociais. Como anunciado no título do artigo, essa será nossa maior preocupação, o que pode ser justificado de dois ângulos distintos.

De um lado, tratar com mais vagar as respostas fornecidas pelo marxismo decorre de ser ele *a abordagem ao estudo das políticas sociais que mais se preocupou (e há mais tempo), com a questão causal.* Isso, no entanto, como veremos, não quer dizer que tenha até agora acertado nas respostas.

De outro, concentramos nosso esforço daqui para a frente no marxismo por ser *a abordagem que mais aparência tem de fornecer respostas* à pergunta indicada. Essas respostas aparentes têm largo curso na bibliografia e no debate acadêmico brasileiro, apesar de suas inadequações. Também por isto, e, talvez, principalmente por isto, vamos considerá-las com mais cuidado.

Há que deixar desde logo claro que vamos, aqui, nos limitar à crítica, sem pretender adiantar soluções ao cabo da argumentação. Não é esse o objetivo do texto, que deve ser visto como limitado desta perspectiva. Em outras oportunidades, poderemos voltar à questão.

Antes, devemos esclarecer que o marxismo que estaremos criticando não é exatamente o marxismo mais contemporâneo. Conforme se afirma no outro texto citado desta coletânea, o marxismo vem passando por transformações muito profundas nestes últimos anos, não só em geral, mas também no que se refere às suas aplicações ao estudo das políticas sociais. Assim, nossa crítica se dirige às interpretações marxistas tradicionais, aquelas que, infelizmente, são ainda as mais freqüentes na bibliografia brasileira.

II. A CAUSAÇÃO DAS POLÍTICAS SOCIAIS DENTRO DO MARXISMO: UMA CRÍTICA

Como foi dito, o raciocínio marxista sobre os mecanismos de causação das intervenções sociais do Estado tem sido singularmente simplista no plano teórico. Naturalmente que este juízo se aplica mais àqueles trabalhos que explicitamente procuram formular modelos, mas o mesmo pode ser dito de outros, em que apenas ficam sugeridas as relações causais subjacentes aos fenômenos estudados.

Mas não é somente o simplismo que caracteriza tais trabalhos. Embora possa parecer paradoxal, dada a centralidade que o marxismo atribui à história, são eles extremamente ligeiros ao considerá-la, mesmo quando pretendem ser o inverso. Retornaremos a isto adiante, por ora bastando observar que o simplismo na teoria e a singeleza no tratamento da história se dão as mãos, gerando a situação apontada de inconsistência dos modelos causais disponíveis.

O simplismo se manifesta de duas formas. Por um lado, *na adoção de um esquema bipolar*, onde a interação entre apenas dois atores é definida como suficiente para explicar o nascimento de toda e qualquer política. Por outro, na maneira mesma em que tais atores são concebidos, como entidades essencialmente simples e homogêneas.

Que exceções existam a esta regra é óbvio, mas a vasta maioria da pesquisa inspirada pelo marxismo sobre as origens de políticas sociais dentro do capitalismo pode ser assim avaliada. Ora mais claramente bipolares, ora menos, ora tratando explicitamente os atores que estariam em jogo como categorias compactas, ora o fazendo apenas da forma implícita, é assim que se tem caracterizado a parte mais ponderável das investigações.

Não deixa de ser curioso observar que os exemplos que desconfirmam a regra são de trabalhos onde, em geral, se nega a discussão conceitual e teórica. Neles, o historicismo toma o lugar deixado vago por essa recusa, como se a exposição do historiar-se dos fenômenos fizesse as vezes e substituísse o desenvolvimento de esquemas analíticos e de modelos. Não o faz, porém, ainda mais por ser muito ligeira a consideração que realizam da história, conforme se procurará mostrar mais adiante.

O que se chamou modelo bipolar emerge da definição de que tudo o que se necessita para entender o nascimento de uma política social particular, o do conjunto delas, é conhecer como interagem dois atores: de um lado, o Estado e, do outro, a classe trabalhadora. São eles os dois únicos elementos determinantes, e é no seu inter-relacionamento que se geraria toda a dinâmica que explica os porquês e os como dessas intervenções do Estado.

Graficamente, esse modelo pode ser apresentado da seguinte maneira:

GRÁFICO 1

MODELO DE CAUSAÇÃO BIPOLAR DE POLÍTICAS SOCIAIS

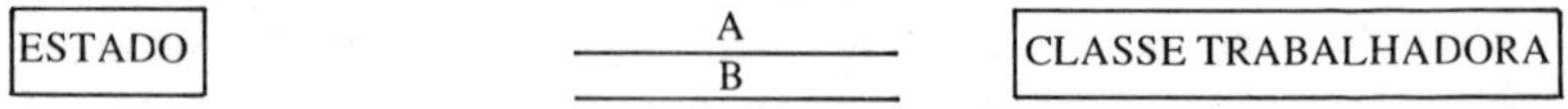

Como se pode observar, existem duas leituras possíveis do modelo, pois há duas direções de causalidade implícitas. Em primeiro lugar (a linha A do Gráfico 1), teríamos a possibilidade de um movimento que vai do Estado para a classe trabalhadora, este exercendo o papel ativo e aquela não mais que recebendo, passivamente, a atuação do outro. Em segundo (a linha B), o inverso, agora sendo ativa a classe trabalhadora, funcionando o Estado como objeto de sua ação e não mais que respondendo a ela.

É evidente que são coisas muito distintas, pois afirmar que é na linha A que se dá a causalidade, ou então que é na B, são alternativas opostas e antagônicas. Mas veja-se que em ambas as leituras há pelo menos uma concordância, a definição da interação do Estado e classe trabalhadora como suficiente para explicar o fenômeno em questão, a origem das políticas. Este denominador comum fica ainda mais claro quando se pretendem acoplar as duas dimensões, como ocorre em uma terceira leitura, como a que aparece, por exemplo, na obra de James O'Connor (O'Connor, 1973, cap. 4.)

Apesar do que eventualmente possuem em conjunto, o fato é que, nas suas diferenças, essas leituras representam quase que a totalidade do que o marxismo tem a dizer a respeito da causação das políticas sociais. É no espaço limitado da interação desses atores que se encontraria toda a explicação, ou, pelo menos, toda a relevante.

A primeira leitura dá lugar ao que se poderia chamar de "a hipótese do engodo". Por ela, as políticas sociais são determinadas pela lógica do Estado, emanam de processos internos de reconhecimento de sua conveniência e terão a classe trabalhadora fundamentalmente como objeto.

Não se trata, a rigor, de uma hipótese unitária, pois pelo menos duas variantes são possíveis. Na primeira delas, a "lógica do Estado" emana diretamente dos requisitos quase que técnicos do processo de acumulação, sendo as políticas sociais exigidas ora por supostos ditames da produção, ora por necessidades da circulação. Enquanto exigências da produção capitalista, tais políticas seriam um simples instrumento para tornar mais ágil e mais veloz esse momento da acumulação, especialmente por permitirem melhorar a rentabilidade do uso da força do trabalho. Ao estar mais educado, mais saudável, ao se desgastar menos nos intervalos improdutivos (em termos capitalistas) de seu dia-a-dia, o trabalhador ativo pode ser mais eficientemente explorado pelo capital e o futuro trabalhador se torna um candidato melhor a substituir aqueles que vão deixando o local da produção (ver, por exemplo, De Brunhoff, 1976).

Enquanto necessárias à circulação, as políticas sociais cumpririam o crucial papel de engajarem o manejo da demanda agregada. Em momento de queda do ciclo de negócios, elas sustentariam a demanda global, transferindo renda para o consumo das unidades familiares privadas de oportunidades de emprego, com isso amortecendo os efeitos das crises sobre a economia como um todo. Também em épocas "normais" elas seriam funcionais para a circulação, e, portanto, para a realização das mercadorias, seja ao canalizar renda para segmentos fora do mercado de trabalho (desempregados, velhos e incapazes, por exemplo), seja por representarem as despesas governamentais com inúmeros programas sociais um mercado de consumo de enorme significado para os empresários capitalistas (O'Connor, 1973, introdução).

Sem querer, por ora, discutir se estes são ou não efeitos reais das políticas sociais, o que é básico é perceber que, em termos de causalidade, esses dois tratamentos da primeira vertente da "hipótese do engodo" afirmam que o Estado burguês encetará políticas sociais porque assim o exigem a produção e/ou a circulação das mercadorias. Será por serem convenientes ao processo de acumulação que elas serão postas em prática, e só por isto. Temos, portanto, que o Estado praticamente desaparece enquanto categoria determinante, ao tornar-se puro executor de ditames emanados desde fora dele. Seu papel seria o do "capitalista ideal coletivo", instância onde os interesses das unidades fragmentadas do capital seriam reunidos e garantidos, ainda que às custas de sacrifícios localizados para algumas delas (ver Holloway e Piccioto (eds.), 1978). Para poder ser de todas as partes do capital total, o Estado teria de estar fora de qualquer uma, mas isto, ao invés de negar, seria a condição mesma para que fosse o Estado do capital, donde da burguesia (Hirsch, 1978). No que toca às políticas sociais, ao implementá-las, o Estado estaria, assim, permitindo que a acumulação operasse sem mais sobressaltos que os inevitáveis.

Mas, se esta é sua verdade, as políticas sociais terminam apresentadas à classe trabalhadora como outra coisa, como instrumentos para elevar seu bem-estar e sua qualidade de vida. Duplo embuste, portanto, pois não só elas não servem aos interesses dos trabalhadores, mas sim aos da burguesia, como aqueles a engolem vestida de uma roupagem que mais aumenta suas perdas, pois acabam por acreditar em quem os engana, diminuindo a possibilidade de que um dia se levantem para transformar a ordem instaurada pelo capital.

Esta última consideração nos permite passar à segunda variante da hipótese, uma vez que, para ela, o fundamental da motivação se gera na região em que terminamos por chegar, mais especificamente na esfera política. Agora, as motivações são outras e, embora continuemos perante a imagem da "lógica do Estado", é de outra lógica que falamos.

Trata-se, portanto, de uma variante que explica as políticas sociais como fenômenos políticos, enquanto meios através dos quais o Estado burguês ganha a adesão da classe trabalhadora a um sistema social onde ela é necessariamente e sempre prejudicada. Esta variante pode ser mais facilmente identificada por uma idéia que lhe é central, a de cooptação, nome do processo pelo qual se daria essa absorção do potencial transformador e revolucionário dos trabalhadores, que embainham suas armas na luta de classes ao receberem as migalhas que os poderosos lhes destinam. Metaforicamente, o que a hipótese agora procura caracterizar é um processo onde o trabalhador, para preservar seus dedos, cede possíveis futuros anéis e, fazendo-o, torna-se prisioneiro do dilema de ter de manter uma ordem desfavorável para ele em última instância, trocando um róseo futuro remoto, o da libertação, por um dia seguinte apenas menos negro que o de hoje e o de ontem.

As políticas sociais são precisamente as migalhas de que se falou. Elas representariam, portanto, a moeda pela qual o Estado burguês compra a docilidade atual e o compromisso futuro da classe trabalhadora para com a manutenção do capitalismo, dando-lhe uma participação simbólica no consumo social que, ao contrário de ser uma ameaça à realização do lucro, é uma de suas mais importantes guardiãs.

Há, em toda essa discussão, um tom milenarista e uma óbvia atitude de condenação a essa "cegueira" da classe trabalhadora. Ela pode até ser desculpada, lembrando, por exemplo, que, afinal, a vida do trabalhador é dura e não lhe é possível recusar nada, mesmo se uma dádiva tão interessada e interesseira. Resta, porém, a crítica moral, através da qual transpira uma conceitualização do proletariado como categoria histórica essencialmente despida da vontade própria e incapaz de formular e perseguir interesses, ao mesmo tempo que enganável com o mais grosseiro dos logros.

Pode-se constatar o parentesco dessa visão com outras ideologias típicas do século XIX, em que a nascente classe trabalhadora moderna era concebida basicamente como o artefato, ao mesmo tempo ameaçador e deplorável, do mundo industrial. Como mostrou Franco Moretti em seu estudo sobre outro mito do período, o de Frankenstein, o monstro pode ser visto como a destilação do medo com que a sociedade tradicional enfrentava o novo mundo e seus habitantes, especialmente a figura amorfa, desindividualizada e miserável dos primeiros operários, que produziam e eram produzidos nas *"dark satanic mills"* ("as escuras fábricas satânicas"), de que falava Marx, e era uma criatura embrutecida em um duplo sentido, o de só querer ser reconhecida como humana e o de perder-se em violências estéreis se não o conseguisse (Moretti, 1982).

Além do ranço dessas ideologias, a "hipótese do engodo", enquanto explicação causal, incorre no equívoco de inverter a teoria, lendo efeitos e resultados como causas. Conforme apontaram John Urry e Anthony Giddens em textos recentes, muito do marxismo atual reproduz problemas com os quais as ciências sociais ortodoxas já se defrontam, entre eles os do funcionalismo (Urry, 1981). Teríamos, então, o raciocínio de que, dado que determinados traços têm efeitos funcionais para a preservação da sociedade burguesa, eles foram criados para tanto. Políticas sociais, por exemplo, seja por servirem à acumulação, seja à legitimação, seriam assim explicadas. Não é mais que isto que essa hipótese afirma.

Essa formulação, no entanto, ao lado dos problemas teóricos que põe, requer a confirmação de algo literalmente impossível, a saber, que um ator histórico qualquer seja capaz de antecipar perfeitamente o futuro, a fim de que pudesse, ontem, fazer aquilo que seria funcional hoje. Isso presume que a história é inteiramente dúctil ao seu desejo e, portanto, que as ações de outros atores são irrelevantes. Ele é, assim, além de onisciente, onipotente, donde a-histórico. A história não seria nunca a "história das lutas de classe", pois estas implicariam que ela fosse um processo aberto, e sim a história de sua vontade.

Permanecendo no espaço terminológico do funcionalismo, pois é aí que desembocamos, não se quer sugerir que as políticas sociais, em seu conjunto, sejam disfuncionais ou mesmo afuncionais na manutençao do capitalismo. Pelo contrário, há larga evidência acumulada que indica a direção inversa, ao demonstrar os vários resultados e efeitos de funcionalidade que elas possuem. Mas falar de causação é, indiscutivelmente, coisa diferente.

Chegamos, então, ao considerar a primeira direção de causalidade possível no modelo bipolar, a três conclusões principais. Em primeiro lugar, a de que, em ambos os tratamentos que recebeu, um funcionalismo marxista, que vê as políticas sociais como "exigências" ditadas quer pela lógica da acumulação, quer pela da legitimação, substitui a reflexão a respeito da sua causalidade. Em segundo, e ligada à anterior, a de que a história desaparece como problema, pois as manifestações concretas ficam subordinadas a requisitos universais que o modo de produção de mercadorias colocaria. Em terceiro, que, ainda que o Estado apareça em ambas as versões da hipótese, ele é pouco mais que um momento pouco relevante de um processo cuja determinação está fora dele, deixando, assim, também de ser um problema.

Essas características da hipótese levam a algumas conseqüências. A primeira ocorre nos trabalhos de pesquisa informados por ela, e é o tráfego mecânico do plano conceitual (apesar dos problemas levantados) para o empírico, sem que isto coloque nenhuma questão teórica. Trata-se de decorrência de serem as proposições da hipótese literalmente infalsificáveis, pois sempre se poderia "demonstrar" uma suposta "lógica" maior que dá conta de todos e quaisquer fatos, mesmo os de convívio mais implausível. Assim, feita a profissão de fé nas virtudes da abordagem, pode a pesquisa amontoar dados a esmo, sem que o estabelecimento de mediações teóricas seja necessário, no suposto de que todos eles se ajuntariam sozinhos, entre si e com as categorias abstratas. Mudança, diferença, ruptura, transformação, nada é problemático no plano empírico, pois tudo se inscreveria em uma "lógica" qualquer.

A segunda ocorre quando se pretendem elaborar mais adequadamente os dois planos de análise, conceitual e empírico, e toma a forma de um fosso intransponível entre ambos. Naturalmente que isto surge apenas quando se leva a sério, de um lado, o desenvolvimento das categorias abstratas, e, de outro, a informação substantiva. Não há hiato algum se qualquer deles é tratado frouxamente, seja com a hiper-simplificação do modelo teórico, seja com prestidigitações empíricas.

A terceira, finalmente, tem a ver com o tema da mudança nos estudos sobre políticas sociais. As descontinuidades e as inovações ora são simplesmente suprimidas, ora são remetidas a hipotéticas alterações nos "requisitos da acumulação", que, por sua vez, ficam inexplicadas. Com isso, se fecha o lugar onde o comportamento e a prática social dos atores existiria, deixando de ser problemática a efetividade dos conflitos de interesse e dos processos de ação coletiva. Uns, aqueles que encarnam a "lógica", sempre triunfam, outros, os demais, fatalmente são derrotados.

Em parte contra precisamente este último ponto, e certamente como alternativa à hipótese discutida, surge a segunda, a que se assenta na linha de causação que vai da classe trabalhadora para o Estado. Vamos considerá-la a seguir.

Se a primeira pode ser chamada "hipótese do engodo", esta será designada como "a hipótese da conquista". Trata-se de algo diferente do anterior, pois agora iremos pensar as políticas sociais como resultado de processos de acomodação política a crises que têm sua principal origem na ação da classe trabalhadora. Ela, e não o Estado, é o agente, mesmo que não intencional, pois este apenas *reage.*

Assim como a outra, esta segunda hipótese possui duas versões, que diferem, porém, mais na ênfase que na substância do argumento. Trata-se sempre de uma mesma direção de causalidade, enquanto varia o peso atribuído à ação direta da classe trabalhadora, na primeira tomada como quase que única, na segunda concebida de maneira mais mediada.

Dizer que a classe trabalhadora, em sua ação política, é a causadora exclusiva das iniciativas sociais do Estado vem a ser o mesmo que afirmar que ela "arranca" tais resultados de algo visto como recalcitrante e hostil. Assim, na primeira versão da "hipótese da conquista", o que temos é a imagem de um combate entre dois atores perfeitamente informados, um sabedor do que quer e o outro do que não quer. O primeiro, em determinadas condições, pode ter sucesso, sendo o segundo forçado a ceder e a recuar, deixando aberto o espaço onde o outro afirmará sua vontade. Surgem desta forma as políticas sociais, os troféus da guerra social, os símbolos das "conquistas" dos trabalhadores.

Para ser levada a sério e verificada, essa versão da hipótese exige o teste do grau de consciência dos dois atores. Dito de outra forma, é indispensável para ela poder confirmar que a classe trabalhadora busca intencionalmente um resultado dado e, ao mesmo tempo, que o Estado o recusa com igual certeza. Só assim faz sentido o argumento, que requer, também, seja demonstrada a ocorrência das situações concretas onde os embates teriam sido travados. Isto porque não basta falar em "luta", se não se precisam exatamente seus episódios, com seus momentos de manifestação, tanto de avanço, como de retrocesso, no terreno da história.

Ora, obedecendo a estes dois quesitos, não se conhece mais que um exemplo, na literatura pertinente, de uma iniciativa social do Estado determinada desta maneira. Este, para todos efeitos, notável momento, é o da regulamentação da jornada de trabalho na Inglaterra dos anos 50 a 70 do século passado, onde, a crer em Marx, depois de uma "guerra civil prolongada", o operariado fez triunfar "os princípios de sua economia política" sobre os da burguesia (citado em Mishra, 1981, p. 65).

Essa análise é o vôo mais alto da hipótese da conquista e é, também, seu canto de cisne, pois a literatura não registra outra situação explicável com esse raciocínio. Ao que parece, portanto, aceita a argumentação favorável, ainda assim só resta um caso de confirmação da hipótese nessa versão, o que mais indica estarmos na presença de uma exceção, que de uma regra.

Afrouxando, então, os quesitos anteriores, se pôde desenvolver a segunda versão. Já agora não se precisa mais demonstrar que a classe trabalhadora lutou direta e conscientemente para obter do Estado um produto que ele teimava em recusar. Ao contrário, devolve-se-lhe alguma capacidade de iniciativa, com o recurso à imagem de que pode o Estado "antecipar-se" e, mesmo sem que a guerra civil esteja declarada, propor e executar medidas sociais, que a inibem ou a canalizam para finalidades definidas por ele.

Vê-se que é fundamentalmente o mesmo raciocínio, apenas alterado por atribuir-se maior inteligência aos decisores dentro do Estado. Na medida em que estes são suficientemente argutos, a guerra se evita, assegura-se a paz social e preservam-se as regras de distribuição de poder e riqueza na sociedade. Não que elas sejam concebidas como se se mantivessem intocadas, pois, para conseguir "antecipar", o Estado eventualmente promoverá mudanças tópicas no acesso a determinados recursos. A hipótese, na verdade, deixa em aberto se haverá ou não ganho para a classe trabalhadora nesse processo. Em alguns momentos, a antecipação significa redistribuição, em outros, não.

A noção de antecipação se torna, portanto, um meio para manter o modelo implícito na análise da "guerra civil prolongada" em situações que desconfirmam seus requisitos. Fica a classe trabalhadora como o ator principal do drama da encenação de políticas sociais, como o combatente virtual de uma luta sempre postergada. Veja-se, porém, que, para preservar sua função causal, é necessário demonstrar que, de alguma forma, ela faz sentir ao Estado o avizinhar-se das circunstâncias em que tomaria as armas. Sem isto, o argumento da "conquista" cai por terra e somos despachados de volta à hipótese do "engodo", retornando ao proscênio a discussão da "lógica do Estado".

Essa demonstração, contudo, se defronta com diversos tipos de problemas. O primeiro deles é semelhante aos encontrados pela versão anterior e é estritamente empírico. São necessários exemplos reais que mostrem consciência e atividade da classe trabalhadora para obter do Estado determinadas políticas sociais, mesmo que não belicosas. O segundo é essencialmente lógico, pois termina-se por adotar noções altamente questionáveis, como as de "guerra pacífica", "guerra silenciosa" e equivalentes. Estas podem até ser figuras literárias, mas são de óbvia contradição interna, pois ou bem se tem uma guerra, ou não. De fato ela não exige uma sucessão ininterrupta de batalhas, cabendo pensar intervalos e tréguas, por exemplo. Mas se a situação assim se eterniza, a própria idéia de guerra começa a perder sentido.

O terceiro, finalmente, é teórico e tem afinidade com o que se comentou a respeito da prevalência do pensamento funcionalista na hipótese anterior. Temos de novo uma inversão parecida à que toma efeitos por causas, agora em um raciocínio que deduz que, dado que há o estado artificial da "paz social" e dado que este conflita com o axiomático estado natural da "guerra civil prolongada", algo se fez para criá-lo. Daí a dizer que a tomada de medidas sociais pelo Estado se explica enquanto instrumento para obter a dita "paz", é um passo. Parte-se, assim, do problema da paz, *a priori* entendida como não-natural, e retrocede-se à guerra por simples derivação lógica, mas, ao transferir-se o esquema para a teoria, terminamos forçados a conceber a política social como reação antecipatória a algo que não ocorreu, não está ocorrendo e que nada assegura que ocorreria, pois, caso fosse isso verdade, não seria de antecipação que falaríamos, mas do "arrancar" deliberado e consciente que vimos anteriormente. O modelo tem de ser muito pouco exigente em termos de verificação, pois se move em um terreno extremamente instável, demarcado, de um lado, por uma opção que o nega por falta (aquela em que é o Estado o ator e não o reagente) e, de outro, por uma segunda que o recusa por excesso (aquela em que teríamos o "arrancar").

A primeira e mais importante conseqüência destes problemas para o trabalho empírico é o da infalsificabilidade do modelo. Como se conhece o resultado (a paz) e se sabe que ele vem como produto de medidas antecipatórias a ações concretas que desembocariam na restauração do estado natural de guerra, tem-se *por definição* tais ações. O único que resta ao pesquisador é identificá-las e enumerá-las, não sendo absolutamente problema demonstrá-las. Tudo, a rigor, pode servir, mesmo as coisas mais discutíveis e menos plausíveis.

A segunda decorrência é nos enredarmos em diversas formas de "teorias conspiratórias" da história. Ao Estado e à burguesia se atribuem dotes quase mágicos de argúcia de leitura e interpretação da classe trabalhadora e também de inventividade e capacidade organizacional, que os habilitam a transformar suas percepções ajustadas em iniciativas igualmente corretas. Apenas exagerando um pouco, pode-se dizer que, para ambos, se desvenda a vontade íntima dos trabalhadores, pois eles se antecipam a ela e a manipulam ardilosamente.

Talvez fiquem mais claros os problemas levantados, e suas conseqüências, em uma breve consideração do que inquestionavelmente é o mais relevante exemplo do uso dessa hipótese na explicação das causas das políticas sociais. Trata-se do ensaio hoje já clássico de Francis Piven e Richard Cloward, *Regulating the Poor,* publicado em 1971 e ainda de grande atualidade (Piven e Cloward, 1972).

Fazendo uma leitura rápida do livro, pode-se dizer que, para Piven e Cloward, a política social segue um movimento pendular, indo de momentos "expansivos", para outros "restritivos". O que tipicamente ocorre é a expansão quando o desemprego de massa produz *"occasional outbreaks of civil disorder"* ("irrupções ocasionais de desordem civil") e a restrição quando se estabelece a estabilidade política. Em termos funcionais, ela exerce dois papéis: *"maintaining civil order and enforcing work"* ("manter a ordem e forçar ao trabalho") em uma seqüência onde o primeiro surge em resposta a pressões populares e o segundo depois que cessou a ameaça (idem, cap. 1).

Se o momento restritivo pode ser entendido como aquele em que os interesses por detrás da dominação se manifestam desembaraçados, o expansivo (que é de fato o que precisa ser explicado, até porque é o antecedente) só é compreensível introduzindo outros atores e outros interesses. Na formulação dos autores, mesmo que os processos de expansão da política social sejam tortuosos e obscuros, *"the moral seems clear: a placid poor gets nothing, but a turbulent poor sometimes gets something"* ("a moral parece clara: um pobre pacífico nada consegue, mas um pobre turbulento algumas vezes consegue alguma coisa") (idem, p. 338).

Dizer que são complexos os caminhos é uma decorrência do estudo de caso realizado na obra, o de expansão da assistência social nos EUA durante os anos 60. Conforme fica mais patente em um livro seu posterior, *Poor People's Movements,* ela dependeu muito da formação e da militância de organizações de clientes, dirigidas por profissionais que orientaram o protesto e o canalizaram para determinados segmentos da máquina governamental. A ampliação da cobertura de vários programas sociais americanos no período, portanto, não seria determinada por uma simples "turbulência" dos pobres, mas de que ela fosse direcionada ao governo na forma de reivindicação específica. Em outras palavras, a luta social seria uma condição necessária, mas não seria suficiente, exigindo a presença de outros fatores (Piven e Cloward, 1977).

O que é mais intrigante no trabalho de Piven e Cloward, porém, é que em nenhum momento os autores enfrentam essa questão. Trata-se, em outras palavras, de saber até onde o caso que analisam não é literalmente único, exatamente pela natureza da variável que fazem intervir no modelo causal. Assim, o fato de se constituir uma organização (note-se que de pessoas que escassamente pertenciam ao espaço social da pobreza), que tinha como alvo direto e consciente a expansão dos programas, introduz um elemento que não permite identificar qual é, na verdade, o fator causal. Na sua ausência, fica difícil saber não só se a "turbulência" concreta que interessa teria acontecido, mas também se a resposta do Estado teria sido a que foi. Ou seja, para que a reação governamental tivesse tomado a forma de uma ampliação de cobertura, se o indispensável não era que a "turbulência" tivesse sido canalizada para um tipo muito especial de reivindicação, o que exigia a atuação do movimento particular mencionado. Se isto é verdade, quando uma organização desse gênero não existe, a conexão entre "turbulência dos pobres" e "reação do Estado" não pode ser estabelecida.

Fica, assim, o argumento em suspenso e somos convidados a acreditar nele, sem que se nos ofereçam motivos para isso, a não ser uma pré-atitude (ou, quem sabe, um preconceito) receptiva à idéia de que "é assim que as coisas devem ter se passado". Obviamente que não vale afirmar que "alguma coisa" aconteceu do lado dos pobres, sem que se dê à expressão qualquer sentido verificável. É mais que simpatia para com o conteúdo ideológico da hipótese que precisamos para poder tratá-la seriamente.

Essa imprecisão na demonstração da tese central do livro, através de um estudo de caso mais detalhado, se equipara ao tratamento muito perfunctório e frouxo da evidência histórica. Apesar da ressalva de que não pretendiam elaborar uma nova história das políticas sociais, Piven e Cloward dedicam um capítulo à tarefa de montar o "pano de fundo" histórico para sua discussão da experiência norte-americana. Podemos comentá-lo rapidamente, o que nos levará a considerar a segunda característica da reflexão marxista sobre a origem das políticas sociais, sua ligeireza na análise histórica.

Montar um pano de fundo não é algo neutro, pois implica alguma seleção da informação disponível, gerando quadros que podem ser pouco ou muito tendenciosos. Este é o caso de Piven e Cloward, ficando de fora do apanhado qualquer situação ou exemplo de política social que pudesse, nem que fosse marginalmente, desconfirmar as razões de funcionalidade anteriormente estabelecidas. Não é surpresa, portanto, que tudo confirme suas hipóteses.

Isto não quer dizer, porém, que a interpretação proposta para os episódios selecionados seja indisputável, ou, até, indisputada na prática. Veja-se o seguinte exemplo, que ocorre quando da apresentação feita pelos autores das medidas que, no século XVI, se tomaram em Lyon para coibir a mendicância e fornecer assistência aos pobres, tão relevante para eles que lhes permite dizer que *"indeed, most of the features of modern welfare* (...)

were present in Lyons' new relief administration" ("de fato a maior parte das características da política social moderna (...) estavam presentes na nova administração da assistência social em Lyon") (Piven e Cloward, 1972, p. 11), uma *boutade* onde a tonitruância só tem um paralelo com a imprecisão.

Piven e Cloward interpretam a emergência dessas novas iniciativas assistenciais como reação ao "ápice" da "turbulência" que, desde os motins provocados pela fome em 1529, irrompeu na cidade. Tais medidas se traduziram em novos métodos de financiamento, distribuição e administração do auxílio aos pobres, especialmente de alimentos, deslocando as velhas soluções baseadas na caridade privada. Em suas palavras, *"the increase in disorder led the rulers of Lyons to conclude that the giving of charity should no longer be governed by private whim"* ("o aumento na desordem levou os governantes de Lyon à conclusão de que a caridade não podia mais ser governada pelos humores privados") (idem).

Esta parece ser uma análise correta dos acontecimentos, a crer tanto na interpretação atual, como no depoimento dos contemporâneos. No entanto, ela também é parcial, pois nada parece autorizar a dedução de que foi o aumento da desordem, apenas, que estava por detrás dessas transformações. Assim, a simples observação de que, nos 23 anos entre 1522 e 1545, em pelo menos outras sessenta cidades, em toda a Europa, mudanças semelhantes aconteceram, sugere que talvez estejamos na presença de causações mais complexas. Nada indica que, em todas elas, houvessem se incendiado os ânimos como, inquestionavelmente, ocorreu em Lyon, e, no entanto, a assistência aos pobres foi igualmente reorganizada. Provavelmente, têm razão Liz e Soly quando dizem que o essencial da motivação para realizá-la se encontra no fato de essas serem cidades onde um nascente capitalismo comercial se defrontava com problemas de oferta de mão-de-obra, sendo a assistência, por sua mecânica de operação, um meio para regularizá-la. A própria imagem de que foram "os governantes de Lyon" seus autores, não esclarece que eram os mercadores seus principais propugnadores, uma especificação sutil, mas relevante (Liz e Soly, 1982).

Como se pode perceber, estamos mais uma vez perante o problema analítico atrás detectado, que não permite estabelecer com nitidez uma vinculação causal entre "turbulência dos pobres" e política social, pois a interveniência de outros fatores obscurece a força da relação hipotetizada. De novo somos convocados a acreditar nela, sem que seja demonstrada de maneira convincente.

Uma das prováveis razões desses problemas é a própria maneira como é construída a categoria do que seria o ator principal do processo de encenação de políticas sociais. Falar em "pobres" tem a evidente vantagem de permitir a inclusão das várias categorias sociais da classe trabalhadora, ensejando vôos históricos maiores e tornando possível a análise de "turbulências" mais variadas. Se pensarmos no texto de Marx mencionado, por exemplo, seu uso do conceito de operariado limita muito as possíveis situações típicas da hipótese, ao circunscrevê-la apenas aos casos em que são os trabalhadores industriais os atores. Se temos os "pobres", somos poupados dessas dificuldades.

Mas a soma de desvantagens é claramente superior. Tamanha imprecisão corrobora a infalsificabilidade apontada, ampliando desmesuradamente a generalidade das proposições. Sempre se teria um "pobre" fazendo "alguma coisa", pois a expressão não nos fornece qualquer indicação de *qual* é o pobre que consideramos ou deveríamos considerar, e *que* coisas faz ele.

Isto toca em um outro sentido em que se podem considerar simplistas os modelos causais marxistas sobre políticas sociais. Logo no início desta apresentação, ele foi apresentado como significando a "compactação" dos conceitos, tratando como simples e homogêneos fenômenos que primam por serem precisamente o inverso, ou seja, complexos e heterogêneos.

Tomar o "Estado capitalista" e a "classe trabalhadora" como monolitos não é apenas um desrespeito à diversidade concreta com que tais fenômenos se manifestam na história. É também um sério equívoco teórico, na medida em que ficamos perante categorias tão amplas e gerais que de nada nos servem à interpretação. Toda a tradição da investigação sociológica e historiográfica é jogada fora, como se fosse mais "explicativo" e mais "verdadeiro" falar por generalidades e grandes abstrações.

Quanto ao "Estado capitalista', precisamos de modelos que permitam concebê-lo como aquilo que é, de um lado, algo variável, que pode assumir formas diversas, com atuações diversas e, de outro, como uma reunião, nem sempre pacífica, de aparatos e instituições submetidas a lógicas, pressões e motivações diferenciadas. Quanto à "classe trabalhadora", tratá-la como entidade indivisa pode ser conveniente ao trabalho ideológico e de proselitismo político, mas é também um meio para deixar de perceber que ela pode ser, e de fato é, particionada. Suas frações, categorias e camadas são diferentes umas das outras, a umas interessando determinadas formas de atuação (e sendo igualmente o objeto mais imediato e até exclusivo da intervenção do Estado) e a outras não.

Deve-se observar que o pensamento marxista sobre o Estado tem mostrado que, a cada grande época do capital (concorrencial, monopolista, imperialista etc.), corresponde uma estrutura estatal diferente (mais ou menos intervencionista, maior ou menor em seu escopo de atuação, organizada internamente de uma ou outra maneira). Ao analisar a classe trabalhadora, a reflexão inspirada por Marx soube também entendê-la como um composto formado por partes e segmentos heterogêneos, com interesses e comportamentos nem sempre convergentes. Não há, portanto, novidade no afirmar destes pontos.

O que falta, porém, no caso que nos interessa aqui, é precisamente incorporar esta análise aos modelos causais que explicam a política social na sociedade capitalista. Enquanto isto não for feito, continuaremos lidando com conceitos e categorias inócuas em termos interpretativos, a menos que se considere satisfatório o nível de abstração de seu uso atual.

Temos, portanto, vários problemas detectados. Em primeiro lugar, que presos a modelos bipolares, onde a interação entre apenas dois atores é definida como suficiente, é difícil escapar da "hipótese do engodo" ou da "hipótese da conquista", com todas as simplificações e equívocos em que implica o seu tratamento atual. Em segundo, que a análise histórica precisa deixar o terreno das generalizações que obscurecem o que ela mais deveria revelar: a mudança, a transformação e a atuação de múltiplos fatores determinantes. Em terceiro, que o tratamento monolítico dos atores relevantes se funda em uma homogeneidade que não é confirmada nem pela teoria, nem pela história.

Neste diagnóstico, ficam implicitamente sugeridas pelo menos as mais óbvias saídas para os problemas mencionados. Nas observações finais, a seguir, se avança um pouco na tentativa de explicitá-las.

III. OBSERVAÇÕES FINAIS

Dados os objetivos deste texto, cabe agora apenas sumariar as principais conclusões a que chegamos, em nosso esforço de crítica às maneiras através das quais o marxismo responde à pergunta de como surgem as políticas sociais. Como antecipado atrás, está fora de nossas pretensões oferecer uma alternativa pronta e acabada aos modelos vigentes, capaz de resolver todos os problemas indicados.

O que podemos fazer é apontar as direções que, à luz das reflexões oferecidas, devem ser seguidas para enfrentar tais problemas. Para rememorar, estes seriam o *simplismo,* a *a-historicidade* e o que chamamos *compactação.*

Romper com o simplismo implica reconhecer que a dinâmica da causação das políticas sociais está longe de ser esgotada pelas interações entre classe trabalhadora e Estado. Pelo menos um terceiro ator deve ser admitido nesse campo, que não apenas é dotado de identidade própria, mas que desempenha um papel que às vezes chega até a ser decisivo.

Trata-se do *empresariado,* agente histórico crucial no processo de criação e desenvolvimento das políticas sociais na sociedade capitalista. Em diversas versões do marxismo, sua presença é ignorada porque se presume que ele, na verdade, já lá estaria, contido dentro da noção de Estado. Tal tese, que supõe uma perfeita identidade entre o Estado capitalista e o patronato, porém, pouco resiste à análise histórica, que, pelo contrário, demonstra pouco haver de necessário e de automático nas relações entre ambos. Atritos, conflitos e até contradições são freqüentes, o que está aqui sendo lembrado para ilustrar o argumento de que o empresariado deve ser tratado como categoria autônoma e distinta do Estado.

A importância da ação do empresariado no estabelecimento da política social pode ser vista de dois ângulos diferentes. De um lado, enquanto um parâmetro para a ação do Estado, quer seja quando advogado (ou é adversário) da política social, quer quando ele próprio desenvolve, no interior das firmas, programas de atendimento de algumas necessidades dos trabalhadores, em áreas como a assistência médica, a habitação, o treinamento, a recreação e o lazer. De outro lado, porque uma parcela do empresariado, a que é formada pelos fornecedores de bens e serviços para a política social, tem os mais diretos e imediatos interesses associados à operação dessas políticas, o que tanto pode levá-la à intensa militância pela expansão de determinados programas, quanto a posicionar-se pela suspensão de outros. Nos dois casos, esse tipo de empresariado deixa visíveis e ponderáveis suas marcas no próprio formato das políticas sociais que emergirão.

Se estes raciocínios procedem, então devemos substituir o singelo modelo bipolar que criticamos por um outro que seria, no mínimo, triangular. Neste, tanto o Estado, quanto a classe trabalhadora e o empresariado são atores relevantes, com interesses próprios e com capacidade de imprimir seu sinal nas iniciativas sociais concretas que o primeiro realiza na sociedade. Com a inclusão do empresariado no modelo, passamos a admitir muito mais que apenas duas direções de causalidade (as hipóteses "do engodo" e "da conquista"), o que nos leva a reconhecer que tanto as interações entre Estado e empresariado, quanto entre este e os trabalhadores podem ser também decisivas para entender as políticas sociais.

O segundo problema identificado, o da *a-historicidade,* tem, pela sua própria formulação, uma solução simples: para resolvê-lo, basta "historicizar o a-histórico". Como fazê-lo, porém, é a questão.

Uma das opções que a literatura atual abre para este esforço é pensar que as políticas sociais guardam, para com o capitalismo, não só uma relação geral, mas "relações específicas", no sentido de peculiares e diferentes de acordo com as mudanças pelas quais o próprio capitalismo passa. Isto equivale a dizer que, se é verdade que o capitalismo, em geral, tem uma relação com a política social, é também verdadeiro que cada uma das diferentes maneiras e formas do desenvolvimento capitalista tende a engendrar formas próprias de política social.

Para prosseguir nessa direção, uma interessante sugestão foi feita recentemente por Gordon, Reich e Edwards, com a noção de "estruturas sociais de acumulação". No dizer dos autores, a história do capitalismo teria assistido primeiro à experientação, depois à consolidação e finalmente à decadência de três diferentes "estruturas" assim nomeadas. Na primeira metade do século XIX e até os anos 1870, teríamos tido uma estrutura social de acumulação baseada essencialmente no processo inicial de proletarização, quando o maquinário ainda se circunscrevia a alguns segmentos industriais, o operariado preservava suas antigas habilidades artesanais, e o Estado, nos termos de Habermas, se limitava a um papel de "criação de mercados", tanto de trabalho, quanto de produtos e de capitais. Com a grande crise do início dos anos 1870, essa estrutura entrou em decadência e foi substituída por uma segunda, chamada pelos autores de "homogeneização do trabalho", desta feita assentada em firmas maiores e mais densas em tecnologia, que se utilizavam de uma classe trabalhadora sem passado manufatureiro relevante e que era apoiada em um Estado que crescera para poder, ainda segundo Habermas, "complementar os mercados". Finalmente, com a Grande Depressão de 1930 e a 2ª Guerra Mundial, deu-se o colapso desta e o nascimento da terceira, que chamaríamos "keynesiana", quando o mercado de trabalho se segmentou, a grande indústria se expandiu e assumiu a forma de moderna corporação e o Estado cresceu física e funcionalmente, tanto que se tornou, nas palavras de Jürgen Habermas, um ente que "substitui o mercado" (Gordon, *et al.*, 1982).

A política social surgiu na segunda fase, mas se expandiu verdadeiramente na terceira. Na primeira, tudo o que de mais relevante havia em termos de instituições de provisão de necessidades dos trabalhadores eram suas próprias organizações defensivas. Quase todas adotaram o formato mutualista e iam desde as cooperativas às sociedades de ajuda mútua, das quais as mais características foram as *Friendly Societies* inglesas (sobre elas, ver Fraser, 1978).

Com a depressão dos anos 1870 e suas correlatas mudanças na composição da classe trabalhadora, assistiu-se tanto aos primeiros passos da política social, quanto à "empresarialização" do velho mutualismo, na medida em que as firmas capitalistas assumiram alguns dos encargos anteriormente sob a responsabilidade deste. Com isto, as empresas transformaram o atendimento de necessidades dos trabalhadores em algo útil e funcional para elas, quer seja em termos econômicos, quer seja em termos políticos. O principal exemplo deste fenômeno é dado pelo chamado *"welfare capitalism"* americano do período 1880-1930 (Brandes, 1968). Quanto às primeiras iniciativas verdadeiramente estatais, a primeira grande manifestação é a legislação bismarkiana da Alemanha na década de 1870 (Rimlinger, 1971).

Assim, embora seja correto afirmar que a era da política social é a do capitalismo keynesiano e do Estado ampliado, seus passos iniciais foram dados mais cedo. O crescimento físico, a expansão da cobertura e o aumento da participação financeira da política social no orçamento do Estado, são, porém, típicas do pós-guerra, chegando a ser tão expressivas que o termo *"welfare state"* passou a ser amplamente utilizado para descrever esse novo Estado, forte e sistematicamente envolvido com as questões distributivas e redistributivas.

Todo este argumento está agora sendo apresentado resumidamente apenas para ilustrar a conveniência de estudar a causação das políticas sociais mediante modelos histórico-interpretativos mais atentos para o caráter cambiante e dinâmico da sociedade capitalista. É óbvio que outros esquemas desta natureza existem e que este mesmo que discutimos precisa de maior refinamento. Vale a apresentação, portanto, como sugestão do quão insuficientes e equivocadas são as interpretações da sociedade capitalista e do papel da política social dentro dela que as supõem fixas e imutáveis.

Passemos ao último dos problemas que detectamos nos modelos causais correntes dentro do marxismo, aquele que chamamos "compactação". Como seu nome indica, ele consiste em tratar como homogêneas e monolíticas as categorias históricas que primam pelo inverso, a heterogeneidade e a segmentação.

Já adiantamos, atrás, as razões de crítica à compactação, bem como apontamos as saídas mais óbvias do problema. Agora, basta acrescentar que a percepção da heterogeneidade e da segmentação do Estado, da classe trabalhadora e do empresariado nos leva a modelos causais onde múltiplas direções de causalidade são possíveis, quando consideramos diferentes partições de cada uma das categorias mais inclusivas. Para ilustrar: a causação de uma política social que tem como alvo o segmento moderno e primário da classe trabalhadora pode ser inteiramente diversa daquela que explica uma iniciativa que tem a família do trabalhador marginal como objeto.

Vistas, então, algumas saídas para os problemas existentes na literatura, cabe apenas uma breve reiteração das duas principais conclusões a que chegamos com este texto. Em primeiro lugar, que a análise marxista não tem conseguido responder às perguntas de causação da política social na sociedade capitalista, por prender-se a modelos simplistas, a-históricos e "compactadores". Em segundo lugar que cada um desses problemas pode ser resolvido, em parte com o uso do mesmo modelo teórico mais geral que se inspira na obra de Marx.

Assim, voltando à interrogação com que abrimos este texto, podemos responder que o marxismo não tem sido capaz de resolver as questões causais envolvidas no estudo da política social. É, no entanto, capaz de caminhar muito mais para a frente nessa direção, se e quando conseguir livrar-se de alguns equívocos e outros tantos preconceitos que acumulou em sua história de consideração do fenômeno.

BIBLIOGRAFIA

BRANDES, S.
(1968) *American Welfare Capitalism 1880-1940,* Chicago, The University of Chicago Press.

COIMBRA, M.
(1987) "Abordagens teóricas ao estudo das políticas sociais", in Abranches, Sérgio e outros, *Política Social e Combate à Pobreza.* Rio, Jorge Zahar, pp. 65-104.

DE BRUNHOFF, S.
(1976) *État et capital,* Paris, Maspero, 1976.

FRASER, D.
(1978) *The Evolution of the British Welfare State,* Londres, MacMillan.

GORDON, D., EDWARDS, R. e REICH, M.
(1982) *Segmented Work, Divided Workers: the Historical Transformation of Labor in the United States,* Cambridge, Harvard University Press.

HIRSCH, J.
(1978) "The State and Social Reproduction" in Holloway e Piccioto, 1978.

HOLLOWAY, J. e PICCIOTO, S.
(1978) *State and Capital: A Marxist Debate,* Londres, Edward Arnold.

LIZ, C. e SOLY, H.
(1982) *Poverty and Capitalism in Pre-Industrial Europe* (ed. rev.), Bristol, Harvester.

MISHRA, R.
(1981) *Society and Social Policy: Theories and Practices of Welfare,* 2ª ed., Londres, MacMillan.

MORETTI, F.
(1982) "The Dialetic of Fear" in *New Left Review,* 136, nov./dez. 1982, pp. 67-82.

O'CONNOR, J.
(1973) *The Fiscal Crisis of the State,* Nova York, St. Martin Press.

PARSONS, T.
(1967) *The Social System,* Glencoe, The Free Press.

PIVEN, F. e CLOWARD, R.
(1972) *Regulating the Poor: The Functions of Public Welfare,* Nova York, Vintage Books.
(1977) *Poor People's Movements: Why they Succeed, Why they Fail,* Nova York, Pantheon Books.

RIMLINGER.
(1971) *Welfare Policy and Industrialization in Europe, America and Russia,* Nova York, John Wiley and Sons.

URRY, J.
(1981) *The Anatomy of Capitalist Societies: The Economy, Civil Society and the State,* Londres, MacMillan.